LA DECISIÓN DE Ricardo

Originally published by Fondo de Cultura Económica as *La decisión de Ricardo*

ISBN 978-1-338-21835-0

10 9 8 7 6 5 4 3 2 18 19 20 21 22

Printed in the U.S.A. 23
First Scholastic printing 2018

LA DECISIÓN DE RICARDO

VIVIAN MANSOUR

ilustrado por
LAURA PACHECO

SCHOLASTIC INC.

Índice

Sin poder apartar la vista, veía cómo dos desalmados golpeaban a un pobre tipo, lo acorralaban contra una pared y, al ritmo de *¡auch!*, *¡ponch!* y *¡zas!*, lo atacaban sin piedad. Por suerte, todo esto sucedía en la pantalla de mi Xbox.

Los sonidos de los golpes, reproducidos admirablemente por los diseñadores del videojuego, estallaban en mi cabeza. Estaba hipnotizado, jugaba como un poseso y me dejaba vencer por los dos cibernéticos malvados. Y es que aquellas figuras fosforescentes de la pantalla me eran muy familiares: uno de ellos tenía los lentes y el cabello escaso de papá y el otro lucía los labios rojos y el cabello corto de mamá. Yo era el miserable tipo al que golpeaban y a quien se disputaban para llevárselo a uno u otro bando. En ese momento de mi vida, así me sentía.

Capítulo Uno

La casa era un abierto campo de batalla, donde los combates no se libraban con balas sino con palabras, y los conflictos no eran por territorios sino por cosas más sustanciales: las servilletas, la marca del queso, el pago de las colegiaturas, el polvo sobre las repisas y hasta el olor del baño después de usarse. Mi hermano Martín y yo éramos testigos incómodos de esos enfrentamientos.

Durante varios meses, los gritos de mis padres se deslizaron como serpientes por debajo de las puertas y nos alcanzaban en cualquier parte de la casa. Hasta que se detuvieron. Y llegó el silencio. Pero el silencio fue peor. Entonces, como diría mi maestra de historia, comenzó la Guerra Fría.

Todo esto era fastidioso, pero en aquel momento otra preocupación ocupaba mi mente. Podría parecer algo trivial, pero para mí era decisivo: la final del mundial de futbol que se jugaría justo siete días después de que estalló la Guerra Fría en mi casa. Yo había apostado con Joana que ganaría España, y ella estaba con Holanda. Joana e Iván son mis mejores amigos. Y, curiosamente, Joana es la más fanática del grupo, una auténtica futbolera. No es como otras niñas, que no saben opinar sobre estrategias y sólo se fijan en si los jugadores son guapos o si tienen buen trasero o piernas musculosas. No, mi amiga conocía los marcadores, el historial y hasta el nombre completo de todos los jugadores.

Para ser sinceros, la apuesta era lo que más me importaba, pues no era poca cosa lo que estaba en juego. No se trataba de dinero, ni de ponerse la playera del equipo contrario, ni de raparse. Se trataba de algo más serio que opacaba mis demás problemas: habíamos apostado el examen final de matemáticas. Joana era nada menos que la hija de la maestra y la idea de la apuesta surgió después de que me confesó que había encontrado la prueba por accidente. Su mamá confiaba plenamente en ella porque, a diferencia de mí, Joana era buenísima con los números, así que la final del futbol resultó el pretexto perfecto para obtener el temido examen. Cuando le propuse la apuesta, su primera reacción fue un rotundo "no", pero cambió de opinión al escuchar mi parte del trato: si yo perdía, ella podía pedirme lo que quisiera. Y lo que me pidió era súper fácil: una cita a solas con Iván. Yo no entendía para qué quería esa cita si lo veía todos los días en la escuela y cuando salíamos los tres. Además, muchísimas veces le había preguntado si le gustaba y siempre respondía un categórico: "No, ¿cómo crees?, si está bien feo", con lo que yo estaba de acuerdo. Pero, bueno, si conseguirle esa cita me aseguraría un diez en matemáticas, materia que llevaba reprobando mes tras mes, haría lo que fuera. Además, estaba seguro de que ganaría España.

Antes de conocer el resultado final de la lucha futbolística, las batallas seguían en la otra cancha: mi casa. Tres días antes de la final del futbol, justo un jueves por la noche, nuestros padres nos llamaron a la sala. Y desde que anunciaron: "Tenemos algo que decirles", supe que lo que vendría no sería nada bueno. El sillón se convirtió en una silla eléctrica cuando mamá terminó la batalla de meses con aquellas fatídicas palabras: "Les queremos decir que su papá y yo decidimos separarnos".

Pese a que ya lo intuía, eso no impidió que un sollozo se me escapara de la garganta. Creo que en el fondo había cierto alivio en mi corazón, pero la reacción ante la palabra "divorcio" fue ésa. Por lo menos en mi caso, porque Martín no lloró ni dijo una sola palabra. Cuando me tranquilicé, la primera pregunta que se me escapó, en medio de hipos y moqueos, fue bastante ridícula:

—Bueno, pero... ¿vamos a seguir en la misma escuela?

—Claro que sí, hijo —respondió mamá.

—¿No voy a tener que cambiarme de cuarto?

—No, claro que no. Aunque tu papá tendrá que mudarse a otro lado.

—Y en ese nuevo lugar, ¿tendré un cuarto?

—Sí.

—¿Y otro perro? Porque Argos se queda aquí, ¿cierto?

—Cierto.

—¿Y habrá tele en mi cuarto?

—Bueno, hijo, eso sí no lo creo… —intervino papá con una risita que no disimuló su enojo.

Esa fue la señal para que mamá nos abrazara diciendo:

—Pero deben saber que los quiero mucho.

Papá no quiso quedarse atrás, así que nos arrancó de los brazos de mamá y, con cierto enojo, remató:

—Y yo también.

Esos abrazos no calentaban mi corazón. Al contrario, me dejaron frío y preocupado. En ese momento me di cuenta de que las batallas también se pierden con abrazos.

En la noche busqué a Martín, seguro de que sería la única persona que comprendería cómo me sentía. Toqué tímidamente la puerta de su recámara porque esa zona estaba prohibida para todos. Martín, con voz apagada, me autorizó pasar. Su cuarto era un santuario al *dark funk*. Entré y me recibió la penumbra. Olía a encerrado, porque mi hermano no permitía que, bajo ninguna circunstancia, se ventilara su habitación, que era por mucho más grande que la mía: ahí se demostraba la jerarquía del primogénito. En esa oscuridad, un póster brillaba en la pared. Se trataba de un estrafalario cantante sobre un fondo morado que, con actitud amenazante, mostraba una lengua purpurina acribillada de anillos. También había un reguero de ropa, toda volteada al revés, como si un puñado de Martines sin sustancia estuviera desperdigado por el suelo. Él se encontraba echado en su cama, en la que seguramente ya había moldeado su figura. Se quitó los audífonos, también de color morado, y el volumen de la música estaba tan alto que parecía salir de una bocina. Me hizo una señal con la cabeza para que me sentara. Era el rey y señor de su cuarto y del mundo secreto de su adolescencia. Y yo, naturalmente, era un extraño en ese mundo.

—Oye, Martín, ¿qué onda con nuestros papás? ¿Qué va a pasar ahora?

—¿Qué va a pasar con qué?

—Pues ¿no es obvio? Ya formamos parte del club de los hijos de divorciados.

—¿Y...? —Martín no se veía impresionado.

—Todo va a estar mal.

—Pues sí. Todo va a cambiar.

—Para mal.

—Sí, para mal.

Yo quería que Martín me contradijera, quería escuchar un: "No, no va a pasar nada. Todo seguirá igual o mejor". Pero esas palabras nunca salieron de su boca.

—¿Tú crees que se reconcilien?

—No.

—Yo quiero que estén de nuevo juntos —dije con la voz temblando.

—Ashhh... Todavía eres un niño.

Esa respuesta fue la peor de todas. Me ofendió demasiado que dijera eso. Había escuchado esa frase de nuestros padres miles de veces, pero nunca de él, que no era mucho mayor que yo. ¡¿Quién se creía?! En ese momento decidí que nunca volvería a compartirle lo que sentía. Me paré y le dije:

—Bueno, ya me voy porque tu cuarto huele a mil pedos acumulados. Pedos darketos, que huelen peor.

Y salí dando un portazo.

Capítulo Dos

Afortunadamente existe la escuela. Ya sé que no todos estarán de acuerdo y sé que a veces las clases son un golpe en el trasero pero, créanme, hay ocasiones en que esas ocho horas fuera de casa son una bendición. Ya con los amigos y el recreo, el día se vuelve más soportable.

En el primer descanso, Joana me preguntó:

—El domingo sabremos quién es quién, ¿verdad? ¿Ya pensaste cómo vas a arreglar mi cita?

—Más bien, tú dime cómo te vas a robar *eso*.

—Mira, lo que quiero es que parezca muy natural —siguió Joana, ignorándome por completo. Yo hice lo mismo:

—Con ese diez lograré que mis papás me den… —pero me interrumpí al recordar que a partir de ese momento sería difícil hablar de "mis papás" como un todo.

—¿Te den qué?

—Es que no te he contado. Mis papás se van a separar.

A Joana no pareció conmoverle mucho mi noticia. Recordé entonces cómo eran sus papás. Siempre iban juntos a todas las reuniones escolares; su mamá, además de ser una de las mejores maestras en el colegio, hacía unos pasteles deliciosos y siempre lucía impecable; su papá era simpático y no tan estresado como el mío. Era la típica familia que tenía miles de fotos felices sonriéndote desde las repisas...

Por un momento, la envidié. Y me sentí muy mal por ello, como cuando me molestaba ver jugar a mi primo Juan con su enorme perro afgano. Hacía mucho tiempo de eso. En aquél entonces mi única mascota era una tortuga apestosa con la que era difícil interactuar. Rogué y supliqué durante cuatro navidades la compañía de un can hasta que, por fin, un diciembre llegó mi perro Argos. Y la envidia se disolvió con su primer lengüetazo. Pero yo no podía volver a unir a mis padres con tan sólo pedirlo durante cuatro navidades seguidas, así que sacudí la cabeza para alejar de mí esos sentimientos.

—Bueno, no eres el único —me respondió Joana encogiéndose de hombros.

Yo ya sabía que no era el único, pero tampoco era un consuelo.

—¿Y dónde vas a ver la final del mundial?

¡Es cierto! Ésa era una cuestión muy importante que tendría que resolver. No quería verla en casa, con el ambiente tan denso que había.

—¿Si pido permiso para verla en tu casa?

—Mejor. Así podré burlarme de ti a gusto.

El sonido de la chicharra anunció el fin del descanso y tuvimos que regresar a nuestro salón. Por primera vez en mi vida quería que ese día en la escuela no terminara nunca para no tener que volver a casa.

Cuando bajé del autobús y me acerqué a la casa, esperaba encontrar un gigantesco hoyo en el patio, como cuando cae un meteorito. No había nada de eso pero me causó el mismo impacto: descubrí un camión de mudanza llevándose algunos muebles a la nueva "morada" de papá. Y en el momento en que subieron el sofá de piel color chocolate, que era su preferido, y el escritorio de madera con la computadora, confirmé que no habría marcha atrás. El divorcio era un hecho.

Mamá no estaba, y yo no quería seguir presenciando la mudanza, así que me refugié en mi cuarto. Hasta allá me siguió Argos, y en seguida se echó en mi cama aprovechando que mi madre no podía impedírselo. Me sorprendió que pusiera la pata sobre mi mano, como si intuyera que necesitaba todo el apoyo moral, o animal.

Después de tumbarme un rato en la cama, recordé la cantidad de tarea que tenía pendiente. Hurgué en mi mochila y

al sacar el libro de matemáticas se cayó un papel que no había visto. Era una invitación al cumpleaños de Romina. Me pareció muy raro que me invitara, pues sabía que no le caía bien y ella a mí tampoco; además, por qué hacerlo así, casi clandestinamente. La fiesta sería en su casa, dentro de quince días.

En ese momento se escuchó en la planta baja un gran estruendo. Bajamos corriendo Argos y yo para ver qué había ocurrido. En la entrada de la casa se encontraba uno de los empleados de la mudanza, congelado, con las manos inmóviles, viendo desconsolado un millón de fragmentos de vidrio y cables retorcidos esparcidos en el piso. Ese puñado de cristales era la televisión de plasma que papá había comprado en una promoción a meses sin intereses.

Papá se puso furioso y empezó a regañar al señor. Argos y yo regresamos a mi cuarto. Entonces entendí por qué dicen eso de "no hay mal que por bien no venga". Ahora no podrían negarme el permiso para ver la final del futbol en casa de Joana.

—Hola, Joana. Soy yo, Ricardo.

—Hola.

—Oye, creo que sí voy a tu casa el próximo domingo a ver el partido.

—¿En serio? ¡Qué bueno!

—Pero te quería preguntar otra cosa. ¿Te invitó Romina a su fiesta?

—No. ¿A poco a ti sí? Si no te puede ni ver…

—Sí, ya sé, pero sí me invitó.

—¿Y vas a ir?

—No sé. Lo más seguro es que no.

—Bueno, si vas, me cuentas cómo estuvo. A ver si es cierto que hace las mejores fiestas de la escuela. Yo no iría ni de broma, ya sabes que es del grupito de las niñas con las uñas pintadas y la falda del uniforme arriba de la rodilla. A mí la verdad me dan flojera…

Y aunque Joana tenía razón, a mí eso no me importaba. Yo sólo tenía curiosidad de saber por qué me había invitado. Además, si no iban Joana ni Iván, ¿yo a qué iba?

—¿Y cómo vas a organizar mi cita con Iván?

—No, no, no… Más bien, ¿cuándo me das el examen?

—Ja… ya nos veremos las caras el domingo. ¿Y cómo están las cosas en tu casa?

—Partidas a la mitad, como manzanas.

—Uy, qué poético…

No dijo más, pero yo sabía que el interrogatorio de Joana significaba que estaba preocupada por mí. Tuve que colgar porque papá había terminado de hacer su mudanza y subió a despedirse.

—¿Con quién hablabas?

—Con Joana.

—Joana, siempre Joana… ¿Era una plática romántica?

—Ay, papá…, es Joana.

Según yo, esa frase lo explicaba todo: "Es Joana". ¿Por qué los adultos insisten en hacer parejitas? ¿Que no creen en la amistad? Todo el tiempo están obsesionados con el amor y, por lo que veía, el amor siempre causa problemas.

En la noche, cuando mamá llegó y vio la casa semivacía, en lugar de ponerse triste, como imaginaba, pidió una pizza grande —cosa que nunca hacía— y casi casi se la devoró sola.

El domingo es sagrado y, como supuse, no me pudieron negar el permiso para ver el partido en la casa de Joana.

El resultado de la apuesta me tenía inquieto, así que llegué muy nervioso con un pastel que mamá me obligó a llevar para los anfitriones. Me recibió la mamá de mi amiga. Cuando entré, su papá ya estaba sentado frente al televisor con un arsenal de botanas y cervezas.

Joana y sus dos hermanos también estaban instalados. Toda la familia con la camiseta de Holanda puesta, muy uniformaditos. A mí se me había pasado ese detalle, lo que luego luego provocó las burlas de la familia: "Ni siquiera está tan convencido de su equipo", "No le va a echar porras", "Trae su playera de rayitas, ja, ja, ja..."

Me quedé mudo y sudoroso. Empecé a convencerme de que eso era un presagio y de que mi playera se convertiría en ave de mal agüero. Pero no fue así.

Después de un sufrido encuentro, España ganó. Todos en la sala me acribillaron con miradas asesinas. Yo estaba muy contento, afónico de tanto gritar. Ganó mi equipo, sí, pero yo también había ganado la apuesta.

Acabado el partido, la familia me echó con amabilidad de la casa. Llenos de sonrisas me despacharon con todo y pastel. De veras que eran malos perdedores.

Joana me acompañó a la puerta. Y yo, por hacerla rabiar, no pude evitar recordarle:

—Me debes lo de la apuesta, ¡eh! A cambio, te guardo una rebanadita de pastel.

Mi amiga me despidió con un empujón y me cerró la puerta en las narices.

Capítulo Tres

El lunes, de vuelta a clases. Por suerte yo tenía una de las posiciones más privilegiadas y envidiadas por mis compañeros: me había tocado sentarme al fondo del salón. Atrás de mí, la pared. A mi lado izquierdo, Iván, mi mejor amigo. A mi lado derecho, Patricia, la mejor alumna del salón. Con Iván: las platicadas, el relajo y el escribirse papelitos. Con Patricia: el buen comportamiento, la atención en las clases, el respeto a la autoridad. Yo, según mi ánimo y mi interés, me acercaba con uno o con otro. Ese lunes, definitivamente, estaría del lado de Patricia.

—Hagan equipo de dos alumnos para resolver este problema de geometría —ordenó el maestro.

Era una misión para mi lado derecho.

—¿Cómo estuvo tu fin? —me preguntó Patricia, confiada en que teníamos autorizado platicar mientras hacíamos el ejercicio.

—¡Súper! ¿Viste la final del mundial?

—No, me puse a estudiar para el examen final de mate.

—Tú siempre estudiando. Además, ¿no estás exenta para ese examen?

—Pues sí, pero me gusta repasar.

Aquello era un exceso, por eso Patricia no tenía muchos amigos. A mí me caía bien, quizá era un poco sosa, pero también buena onda. Mi teoría era que estudiaba tanto porque no tenía imaginación para ocupar sus fines de semana y su tiempo libre en experimentar cosas nuevas, o le faltaba iniciativa.

Eché un vistazo a mi lado izquierdo para ver el cuaderno de Iván: la hoja estaba llena. Mi amigo había utilizado con gran habilidad el transportador, pero para hacer una caricatura cubista del maestro.

Suspiré. Tanto mi lado derecho como mi lado izquierdo eran realmente extremos. "¿Y yo de qué lado estoy?", pensé. Como lo comprobaría más tarde: mi posición siempre sería la de en medio.

Apenas llegó el descanso, decidí hablar con Joana, pero ella se me adelantó en salir. Me asomé al patio y no estaba. La busqué en la cafetería y nada. Por fin la vi a lo lejos, cerca de las canchas de basquet. Fingió no verme, y en seguida caminó de prisa en sentido contrario. Era claro que no quería hablar de la apuesta. Yo también me sentía raro, pero decidí alcanzarla. Sin embargo, cuando llegué a las canchas ya no la encontré.

No pude platicar con ella, pues sonó el timbre, así que, rezongando, regresé al salón.

Al parecer ese lunes nadie quería hablar conmigo, porque en la tarde, ya en casa, mi hermano decidió recluirse en su cuarto. En su puerta colgaba una cartulina que con letras grandes advertía: "NO ENTRAR". Sólo se notaba su presencia por las sutiles vibraciones musicales que escapaban de su habitación. Y como mamá había salido, en la casa reinaba un silencio y un recogimiento que, la verdad, se prestaban para el estudio. Decidido, saqué mi cuaderno de matemáticas y me eché de panza sobre la cama. Eran las cuatro de la tarde. Transcurrieron varias horas, pero mi mente no pudo atrapar ni un solo número. Voló por la ventana y, hora tras hora, por más que intenté clavar la vista en mi maltratado cuaderno repleto de borrones, mi mente se llenó de otros ociosos pensamientos. Dieron las ocho y media de la noche cuando mamá llegó y, poco a poco, la casa se fue llenando de ruido y del olor a las quesadillas que preparaba en la cocina. Vencido, pensé en consultarle a Martín mis dudas de matemáticas, pero estaba tan enojado con él todavía que preferí no hacerlo. El lunes había muerto, el examen era el próximo jueves, en tres días, y yo seguía sin entender nada, así que no había otra opción: tenía que cobrar la apuesta con Joana.

Pero ese día aún no terminaba: durante la cena recibimos algunas novedades.

—Chicos —atacó mamá de golpe—, aunque su padre y yo ya no estemos juntos, ustedes van a seguir viéndolo. Los miércoles y jueves les toca ir a dormir a su casa y alternaremos los fines de semana.

Desde ese momento, mamá ya no se referiría a papá como "su papá", ni como "Pepe", como solía llamarlo, sino como "su padre" o "el padre de mis hijos".

—¿Hay que llevar maleta con ropa? —pregunté para llenar el silencio que de nuevo había ocupado la casa.

—Y también un *sleeping-bag* porque no creo que su padre haya comprado camas todavía —contestó ella.

—¿Y él nos va a llevar al colegio? —intervine de nuevo, pues Martín seguía comiendo sin interesarse en las nuevas noticias.

—Así es. Y nos vemos aquí en la casa el viernes por la tarde.

Bueno, no sonaba tan mal. Era un cambio de rutina. Y dormir en *sleeping* siempre había sido divertido. Al menos, hasta ese momento.

El día siguiente me dediqué a buscar el mejor momento para hablar con Joana. Seguía escabulléndose, pero la acorralé en el gimnasio. La encontré solita en el recreo practicando basquet. Y, sin decir "agua va", le quité el balón y empecé a botarlo.

—¿Qué onda? ¿Me estás evitando?

—Claro que no —me respondió arrebatándome la palabra y el balón. Intentó lanzarlo con violencia hacia la canasta, pero éste rebotó en el borde y, como proyectil, cayó a un metro de mí. Lo tomé y lo boté con insolencia, primero con lentitud, avanzando melosamente hacia mi rival, pero cuando ella se acercó, me alejé como bólido y, con un quiebre de cintura, me dirigí a una esquina de la cancha y..., *¡zas!*, fallé. Joana se rio entre dientes y, con un empujón, me ganó el balón. Luego preguntó:

—¿Cómo vas con el examen?

—Lo voy a reprobar —respondí y, aprovechando un hueco, me colé robándole de nuevo el balón. Lo aventé tratando de encestar, pero la escurridiza pelota no entró en el aro.

—Pues puedo ir a tu casa para ayudarte a estudiar.

—Ya no hay tiempo, y lo sabes. Tienes que pagar la apuesta.

Joana se paró en seco.

—Tú sabes que no puedo.

—Claro que puedes. ¿No tienes palabra?

—Tú sabes que no es poca cosa robar *eso*.

—Ya sé, pero en eso quedamos, ¿no?

—No, no me atrevo. Si mi mamá se entera, me mata.

—Entonces le voy a decir a Iván que te mueres por él.

—Pues dile, no me importa para nada.

Rescató el balón y me lo lanzó con coraje a la cabeza. Logré esquivar el pelotazo, y Joana salió del gimnasio con pasos enérgicos y dando un bufido.

A la salida, tomé el autobús de regreso a casa. Estaba demasiado intranquilo para dejarme arrullar por el vaivén, como acostumbraba, así que me entretuve mirando a través de la ventana. Las imágenes detrás del cristal pasaron frente a mí como una vertiginosa película, y envidié el paso de los peatones que parecían vivir su martes sin tanto apuro. No sé de dónde sacan eso de que la niñez es la época de los no problemas, cuando yo me sentía tan agobiado por la vida.

En aquel momento, me pareció que cada persona que desfilaba del otro lado de la ventana se movía mucho más ligero que yo: un oficinista que ya había hecho todos los exámenes de su vida y sólo tenía que ponerse una corbata y cumplir un horario; una señora que salía del súper después de dedicar toda la mañana a planear el menú y a escoger aguacates; incluso un perro callejero se veía menos estresado que yo, sólo

tenía que fijarse al cruzar la calle y acercarse al puesto de los tacos a esperar que le arrojaran un trozo de bistec. ¿Y yo? Si no pasaba ese examen, no aprobaría el año. Sería de los reprobados. No hay nada más humillante que repetir año. ¿Y si volvía a reprobar ese año? Entonces tendría que trabajar y poner un puesto de pepitas afuera de alguna escuela. O peor aún, afuera de mi propia escuela. Y vería a todos mis excompañeros salir de la secu, mientras que yo intentaría venderles habas enchiladas y cacahuates en cucuruchos de cartón mojados por mis lágrimas de frustración al no poder calcular cuánto cobrarles y… Bueno, parece que estaba exagerando un poco.

Para olvidarme de aquella imagen, pasé toda la tarde jugando videojuegos.

Capítulo Cuatro

Al miércoles le llaman "el ombligo de la semana". La verdad es una imagen chistosa. Parece que la semana fuera un ente tan largo como una lombriz con un agujero en medio, y el resto de los días fueran más o menos iguales. Yo me sentía atrapado en el interior de ese agujero.

Las clases fueron y vinieron como una marea. Llegó el descanso. Decidí quedarme afuera del salón y, desde el barandal, observé a los demás y escuché los murmullos que siempre emergen como fantasmas de todas aquellas bocas que se mueven por el patio de la escuela. No encontré entre ellos a Joana ni a Iván, pero no me importó demasiado. Ni siquiera tenía mucha hambre, pero por rutina me dispuse a comer mi desayuno.

Era un aburrido sándwich de jamón con queso amarillo, el cual, en la segunda mordida, se transformó en algo rígido que mi lengua rechazó al instante. Asqueado, me metí la mano a la boca pensando que era un trozo de plástico del ya de por sí sintético queso. Pero era más duro que eso: era un cartoncillo. Antes de arrojarlo al bote de basura, me di cuenta de que tenía algo escrito. Con una letra algo borrosa, por el efecto de la mayonesa, alcancé a distinguir este mensaje:

"Búscame a la salida en el Octopus. J."

Vaya manera de hacer una cita. Pero así era Joana, podía ser complicada. ¿Cómo había colocado ese mensaje secreto en el interior de mi sándwich? ¿En qué momento, cual hábil ladrón, había logrado tamaña hazaña? No pude responderme. Por lo pronto, esperé con ansia a que terminara ese miércoles, cuyo ombligo parecía reservarme algunas sorpresas.

El Octopus era un gran encino con ocho robustas ramas por las cuales Joana y yo trepábamos y donde realizábamos reuniones secretas en lo alto de su copa. Se encontraba en una esquina del Parque Público 16 de Septiembre. Nadie más se atrevía a escalarlo porque circulaba la leyenda de que en él vivía un fantasma que arrojaba al vacío a quien osaba subir por sus ramas. Esa historia, debo confesarlo, era de nuestra autoría.

Cuando sonó el timbre de las dos de la tarde, me fui corriendo al parque y llegué al encino jadeando. Aventé mi mochila al pie del árbol y trepé en un segundo por sus ramas. Me acomodé sobre la más fuerte para esperar a Joana.

Esperé durante una larga hora trepado en el Octopus, con la pierna dormida, hasta que el encino se estremeció y apareció la cara de mi amiga. Ya no llevaba el uniforme de la escuela, sino su acostumbrado overol.

—Traigo mucha prisa —me advirtió—. Ten —me alcanzó el examen y me dio instrucciones apresuradas—: Te lo encargo mucho. Es el original. No tuve tiempo de sacarle copias. No lo ensucies. Me lo devuelves mañana a primera hora para volver a meterlo entre las cosas de mamá. Yo sí cumplo las promesas. Adiós —bajó rápidamente del Octopus y desapareció.

En cambio, yo bajé cuidadosamente del árbol sosteniendo el papel que me había dado Joana con el mismo fervor que si se tratara de la tabla de los Diez Mandamientos de Moisés. Lo metí en mi mochila y me dirigí a la parada del autobús. Quería llegar a casa lo antes posible para examinarlo con calma. Entonces recordé que esa noche nos tocaba ir con papá. Después de pasar a la casa por mis cosas y de tomar dos camiones, siguiendo las instrucciones precisas que papá nos había dado, llegué cargado de la mochila, la maleta con la muda y el *sleeping bag*. El corazón me latía de expectación, no tanto por el nuevo hogar, sino por la trampa que estaba por cometer. Pero al descubrir el edificio, la tensión se dispersó un poco. Era una construcción gris, inmersa en un barrio bastante tristón y con poca gente en los alrededores.

Lo que más odié fue que no hubiera cerca ni un miserable parque, o de menos un arbolito, sólo calles polvorientas donde el calor del asfalto te rebotaba en las piernas y en la cara. Un par de perros callejeros flacos y pulgosos me olisquearon y se alejaron sin interés. Suspiré ruidosamente: dedicaría otro día para explorar la zona y buscarle algún atractivo. Pero se veía difícil. De cualquier modo, ahora me urgía llegar.

El edificio tenía la clásica puerta de cristal por la que observé un pedazo de escalera gris que subía al infinito. Había doce departamentos, cada uno con su timbre color crema; algunos ya habían sido arrancados y otros estaban hundidos, como los ojos de una muñeca de porcelana. El de papá era el departamento ocho. Ese timbre estaba intacto, seguramente acababa de cambiarlo. Al entrar al edificio no quise tomar el elevador, pues lucía viejo y reducido. Además me urgía llegar pronto, así que subí, primero eufórico y luego agotado, los cuatro pisos que correspondían. Cada vez que creía haber llegado, descubría otro trecho de escalera. Y es que los escalones eran altos y fatigosos, como los de las construcciones antiguas. Finalmente llegué con todo mi cargamento y papá ya me esperaba con la puerta abierta.

Todo se encontraba lleno de cajas, oscuro y muy sucio, así que a primera vista no pude saber qué tan grande o pequeño era. Mi papá, con mangas remangadas y aún desempacando cosas, me dio un beso de disculpa y, en medio del desorden, me condujo a mi habitación. Era un cuartito que olía a encerrado, con una ventana que dejaba ver un magnífico paisaje: la pared del edificio de enfrente.

—¿Tienes hambre? ¿Quieres que pida pizzas o sushi?

—Mmm... lo que sea. Si quieres, esperamos a que llegue mi hermano.

Al parecer, cuando los padres se divorcian, el servicio de pizzas a domicilio eleva sus ventas.

Entré a mi cuarto, extendí el *sleeping bag* y me senté en la única silla disponible sosteniendo el papel con manos temblorosas. Reconocí la letra de la maestra, la mamá de Joana. Eran quince operaciones que, según pude observar, iban de menor a mayor dificultad. Al lado de cada operación había algunas anotaciones sobre los pasos a seguir. ¡Todo estaba resuelto! Empecé a sudar y a memorizar los resultados. Por precaución, no quise sacarle una copia. No niego que, en algunos momentos, me atormentaban la culpa y las dudas. Luego me decía que, al final de cuentas, esos conocimientos eran inútiles, porque definitivamente no me convertiría en físico cuántico, ni en arquitecto ni en matemático. Pero tampoco quería ser vendedor de pepitas.

La tarde transcurrió entre polvo y golpes de muebles que iban y venían bajo las órdenes de papá. Martín llegó de la prepa y no hizo ningún comentario sobre nuestro nuevo hogar. O más bien, sobre nuestro segundo hogar. Finalmente comimos pizza mientras papá, con muchos esfuerzos, intentaba sostener una conversación que duró muy poco, pues apenas terminamos mi hermano se encerró en su polvorienta guarida y yo en la mía.

No pude dormir, me la pasé dando vueltas y vueltas adentro de mi *sleeping*, como una oruga antes de romper el capullo. Había muchas cosas aleteando en mi cabeza.

Por la mañana me levanté legañoso y con un hueco en el estómago. Era el día del examen. Llegué más temprano que nunca y moqueando por la desvelada, así que me refugié en una esquina del patio. De repente, me sorprendió Patricia por la espalda provocándome un gran sobresalto.

—¡Me asustaste!

—Así tendrás la conciencia.

—Ja... —respondí con sarcasmo a su mal chiste.

—¿Qué tal las matemáticas? ¿Estudiaste?

—Muchísimo —le dije en voz baja, pues temí delatarme.

—Oye, ¿vas a ir a la fiesta de Romina?

—No sé, quizá sí.

—¿Irías conmigo? —en ese momento vi que Joana se acercaba. Lucía pálida y expectante.

—Eh..., sí —respondí sin pensar para quitármela de encima.

—¿Paso por ti?

—Seguro —dije sin prestarle atención y me dirigí hacia Joana.

Siguiendo una señal no dicha, nos dirigimos al segundo piso, al salón de los triques y escritorios apilados, donde acostumbrábamos reunirnos a veces.

—¿Lo viste? —me preguntó, siempre sin referirse al examen.

—Sí.

—¿Ya te lo sabes? —susurró.

—Perfectamente.

—Dámelo, entonces. Necesito meterlo en el portafolio de mamá.

En ese momento, una leve inquietud se apoderó de mí. Y esa leve inquietud se empezó a convertir en pánico cuando tuve una intuición. Y esa intuición se convirtió en una terrible certeza. Dejé a Joana con la palabra en la boca y me fui corriendo al salón para revisar mi mochila. Saqué y revisé uno a uno todos los cuadernos, pero el examen no estaba ahí. ¡Lo había olvidado en casa de papá!

Después de cinco minutos de pánico, me reencontré con Joana para confesarle la terrible situación.

—¡¿Qué?! ¿Lo olvidaste? ¿Cómo que lo olvidaste? El examen es a las once. A ver cómo le haces, pero tienes que ir por él antes de esa hora. Nos matan. Me matan. Me lo tienes que entregar antes de las diez y media —y se fue, casi al borde del llanto, como nunca la había visto antes.

Ahora ambos pellejos —el suyo y el mío— estaban en juego. Un sudor frío empapó mis axilas. En un segundo, decidí escaparme de la escuela y volarme las primeras clases. Como era temprano, pensé que podría salir por la entrada principal e ir a casa de papá, pero cuando llegué a la puerta ya estaba cerrada. Entonces ejecuté el plan que miles de veces había imaginado pero que nunca había tenido las agallas o la necesidad de realizar: subí al tercer piso, caminé hacia el balcón, desde donde casi se podía tocar el farol de la calle, me escupí las palmas de las manos y, cual Batman saliendo de la baticueva, subí al barandal y salté aferrándome al poste del farol. Con la fuerza de manos y piernas, bajé como nunca lo había podido lograr en la clase de gimnasia. Me deslicé por el poste, cual chango, y llegué al piso sano y salvo, pero con las manos desolladas.

Y ahora sí: ¡a correr! Tenía que ir al departamento y regresar a la escuela en dos horas cuando mucho. Todavía no dominaba la ruta, pero conseguí recordar las instrucciones de papá. Por fortuna, el transporte pasó rápido. Durante el trayecto, no podía dejar de reprocharme mi torpeza: ¿cómo pude olvidar el examen? Corriendo y con el corazón enloquecido, llegué por fin al barrio tristón del edificio gris. Pero el corazón me sobresaltó de nuevo: ¡se me olvidó que yo no tenía llaves para entrar! ¡Mi papá aún no nos las entregaba!

Como tampoco tenía celular, busqué alguna de esas casetas telefónicas de monedas que aún sobreviven en algunos puntos de la ciudad. Después de caminar un largo rato, encontré una que servía, aunque estaba toda grafiteada. Llamé al trabajo de papá y le expliqué, desesperado, que había olvidado una tarea en casa y necesitaba que fuera al departamento para que me abriera la puerta. Él lo tomó con calma, casi diría que con indiferencia. Dijo que esperara hasta la hora de la comida. Le respondí que era imposible porque debía entregar la tarea ese mismo día a las once. Propuso entonces que si había algún problema, él intentaría hablar después con la maestra. Iba a replicarle que eso también era imposi-

ble, cuando cayó en cuenta de que no estaba en la escuela y de que me había escapado de clases. Entonces, antes de que se enojara, preferí despedirme rápidamente para evitar otro problema.

Llegué a la escuela veinte minutos antes de las once. El guardia me miró extrañado, pero me dejó entrar cuando le dije que había tenido un accidente y le mostré como prueba mis manos ampolladas. Me fui triste y derrotado al salón. Joana, nerviosísima, me esperaba sentada en su pupitre, esperando la siguiente clase. Con los labios, me preguntó a la distancia: "¿lo traes?" Le respondí moviendo negativamente la cabeza. Ella se puso tan pálida que me asusté.

Al sonar el timbre que anunciaba el inicio de la siguiente clase, apareció la maestra de matemáticas. Se sentó en su escritorio y, con toda calma, abrió su portafolio y buscó el examen entre sus papeles. Evidentemente, no lo encontró. Frunció el ceño. Sacó todas sus carpetas y fólderes y los revisó uno por uno, como yo había hecho antes con mis cuadernos. Contrariada, suspiró y siguió buscando mientras Joana y yo seguíamos cada uno de sus movimientos. Finalmente consultó su reloj, se paró y dijo las consabidas y temidas palabras: "Saquen una hoja. Hoy tenemos examen".

Entonces empezó a escribir en el pizarrón las ecuaciones,

improvisándolas. Después, ella misma las copió y volvió a tomar de nuevo su lugar en el escritorio para vigilar que no copiáramos.

Yo apunté todos los ejercicios en mi hoja, luego escuché cómo mis demás compañeros escribían y escribían. El rozar de los lápices contra el papel me estaba volviendo loco. Transcurrieron los minutos hasta que se completó la hora y yo seguía haciéndome el tonto. Estaba consciente de que no sabía ninguna respuesta y de que, ahora sí, tronaría no sólo la materia sino el año. Hice lo que sólo un alumno desesperado se atreve a hacer: entregué la hoja en blanco.

Regresé cabizbajo al departamento gris de papá. Él me abrió la puerta sonriente, como si nada hubiera pasado. Nada para él, por supuesto.

—¿Cómo te fue con la tarea, chaparro? ¿Todo bien?

—No —resoplé—, todo mal.

—¿No puedes entregarla mañana?

—No. Me van a reprobar. Gracias por tu ayuda —le dije sarcásticamente y volcando en él todo mi enojo.

Dejé a mi papá con la palabra en la boca y me fui a mi cuarto. Ahí, sobre la única silla, estaba el maldito examen. Lo miré con furia y lo rompí en mil pedazos.

Escuché los pasos de papá. Seguramente me iba a regañar por mi desplante. Lo que me faltaba.

—Hijo, ¿puedo pasar?

—Ajá.

—Mira, no te preocupes por lo de la tarea. Aquí tienes una copia de las llaves del departamento. Yo hablo con la maestra, si es necesario. ¿De qué materia es?

—De matemáticas.

—Yo lo arreglo. Han sido días de muchos cambios para ti y tu hermano. ¿Qué quieres de comer?

Papá estaba hecho una sedita. A ver si seguía tan tranquilo cuando conociera las calificaciones.

—Quiero hamburguesas —me atreví a pedir.

—Bueno. Voy al súper en lo que llega tu hermano.

Aprovecharía su buena voluntad mientras pudiera. Pero me sentía mal por Joana. ¿Por qué Joana era mi mejor amiga? Bueno, además de esta prueba de fuego, donde ella, como siempre, había demostrado que tenía carácter, debo agregar otras cosas: era la mejor trepadora de árboles en la historia, nunca le daba miedo hablar en público y expresar lo que pensaba, y siempre podías hablar con ella de temas más duros, como pedos, mocos y pelos. Suspiré. Esperaba que su madre atribuyera la desaparición del examen a algún descuido y no a la traición de su hija.

Y así fue. El viernes llegó sin el sabor emocionante del fin de semana porque, a primera hora, la maestra de matemáticas dio los resultados. Era de los pocos profesores que entregaban calificaciones al día siguiente. Pasó lista y entregó uno a uno los exámenes; todos menos el mío.

No me atreví a abrir la boca para preguntarle por él. ¿Para qué? Sabía cuál era el resultado. ¿Qué iba a evaluar?, ¿mi caligrafía?

Iván, a mi izquierda, sacó un honroso siete. Joana obtuvo un ocho punto siete, aunque hubiera sacado diez si no hubiera estado tan nerviosa por mi culpa. Patricia, como siempre, estaba exenta. Todos dormirían tranquilos esa noche. Al término de la clase, la maestra ordenó:

—Por favor, Ricardo, quédate un momento.

Mis compañeros clavaron sus miradas en mí y comenzaron a cuchichear.

Me acerqué cabizbajo al escritorio. La maestra esperó a que salieran todos. Nunca faltaba el que se quedaba rezagado para echar oreja. Cuando estuvimos solos, cerró la puerta del salón. Entonces me puse a temblar: ¿acaso ya sabía todo?

—Ricardo, siéntate frente a mí. Aquí tengo tu examen, pero creo que no vale la pena revisarlo.

—No, maestra —musité.

—Has tenido días muy difíciles, ¿verdad? Hablé con tu papá. O más bien, él se comunicó conmigo y me explicó que él y tu mamá se están divorciando. Entiendo, por lo que me cuenta, que han estado en plena mudanza. Vienen muchos cambios para ti —su voz no sonaba amenazadora sino comprensiva.

—Sí, maestra.

—Bueno, espero que no divulgues con tus compañeros lo que te voy a decir. Por esta única ocasión, te daré otra oportunidad y te aplicaré otro examen el próximo jueves. Esta vez estudia con todo tu material en casa. Y trata de no pensar en tus problemas personales.

—Gracias, maestra —casi no tenía voz por la sorpresa.

—Esto queda entre tú y yo.

—Se lo prometo —respiré aliviado.

Me fui arrastrando los pies, pero al salir del salón brinqué de alegría. ¡Estaba salvado!

Capítulo Cinco

Ese viernes regresamos a casa de mamá. Con la segunda oportunidad para presentar el examen, por fin me sentía relajado. Estaba recostado en mi cama cuando escuché el timbre del teléfono. Era Joana.

—¿Cómo te fue? ¿Qué te dijo mi mamá? ¿Sospecha algo?

—Nada, no te preocupes.

—¿Te reprobó?

—Sí, pero con razón. No contesté nada.

—¿Y entonces? ¿Qué vas a hacer?

—Mmm... Te voy a decir sólo a ti, pero no le digas a nadie: me va a dar chance de hacer otro examen.

—¿En serio? Fiuuu, ¡qué suerte! ¿Quieres que te ayude a estudiar?

—No, ya te metí en muchos problemas. Saldré solo de ésta.

—Bueno, pero nos vemos el sábado en el Octopus para que me cuentes todos los detalles. Nos vemos a las seis, ¿va?

—¡Va!

—¡A comeeer! —escuché el grito de mamá.

—Bueno, adiós —colgué ante el irresistible llamado.

Bajé de dos en dos las escaleras, ligero de todo peso por la forma en que se había resuelto todo.

—¿Qué hay de comer, má?

—Consomé de pollo, brócoli y pescado.

—¿De veras? —me desilusioné—. Son todas las cosas que odio.

—Son todas las cosas que te hacen bien porque te alimentan.

—Mmm, ayer papá nos dio hamburguesas y papas fritas —metí un poco de veneno.

—Ah, ¿sí? —alzó las cejas, pero yo sabía que el dardo envenenado había dado en el blanco—, pues en esta casa se come como debe ser.

—¿Esperamos a Martín?

—Sí, claro.

—Porque ayer papá me dejó comer primero.

La cara de mamá se sulfuró. Y, en contraste, su voz se suavizó peligrosamente. Cuando mamá grita, estoy en territorio más o menos controlable. Pero si su voz baja algunos decibeles se vuelve mucho más amenazante.

—Vamos a esperar a tu hermano y te callas.

Hay que saber cuándo cerrar la boca y había llegado ese momento. Lo peor fue que cuando llegó Martín, aunque comimos los tres juntos, lo hicimos acompañados de un incómodo silencio.

Durante muchos años adoré mis juguetes. Tenía, por ejemplo, una impresionante colección de LEGOS de más de mil piezas repartida por toda la casa. También una gran red, a la que bauticé como "la balonera", repleta de pelotas infladas y ponchadas de las que me resistía a desprenderme. No quería hacerlo porque cada una tenía su historia. Mi balón de las Chivas me recordaba los partidos en la calle con mis vecinos, quienes se habían mudado a Estados Unidos. Una pelota multicolor me llevaba de vuelta a las últimas vacaciones en la playa, donde un erizo de mar, seguramente aficionado al deporte de las patadas, se quedó pegado a ella hasta que la reventó. Además, estaba un balón de marca que aún conservaba la piel tersa como de bebé, y el cual fue testigo de muchos partidos con Martín, cuando a él le gustaba pasar tiempo conmigo.

Otro de mis juguetes preciados era un ratón de peluche que me acompañó de niño durante las noches y me consoló después de varias pesadillas. También guardaba un rompecabezas de la Torre Eiffel. Hacía mucho tiempo que no lo sacaba. Hubo una época en que lo armaba y desarmaba una y otra vez, pero después de que perdí dos piezas dejó de interesarme y se convirtió en una especie de cuadro fracturado.

Ahora ya ninguno de esos juguetes me importaba. Todo lo había sustituido el Xbox y mi perro Argos. Lo que sobrevivió de aquellos años fue el gusto por trepar árboles y pasar tiempo con mis amigos.

Metí todos mis juguetes en una bolsa de plástico y la saqué a la calle para que la recogiera el camión de la basura que pasaba los sábados. Con esa bolsa se iban también los días en que éramos una familia feliz.

Después de alzar cachivaches toda la mañana, terminé cansadísimo y chorreando sudor por todos los poros. Estaba por darme un baño cuando sonó el timbre. Como Martín jamás contestaba el teléfono ni atendía la puerta, tuve que bajar yo. Al abrir me topé con una imagen que me dejó sin aliento: era Patricia, engalanada con un vestido amarillo de hombros descubiertos y un cinturón con brillantitos. Lo que más destacaba de su atuendo eran unos zapatos altísimos y, más que eso, los dedos enormes que asomaban en la punta y se agitaban a la menor provocación, como llevando su propia conversación. La verdad, se veía horrible, pero no más que yo, porque cuando revisó mi vestimenta su sonrisa se derrumbó.

—¿Así te vas a ir?

Al escuchar estas palabras, me acordé de que había aceptado acompañarla a la fiesta de Romina. Esta vez pensé rápido y peloteé muy bien mi respuesta:

—No, cómo crees... Apenas me voy a bañar porque estaba recogiendo mi cuarto. Espérame tantito en la sala, ¿sí?

—Bueno —hizo un mohín de disgusto pero entró.

Tenía que actuar a toda velocidad, así que me bañé súper rápido, mas al abrir mi closet me quedé petrificado. Patricia venía —según ella— elegantísima. ¿Y yo qué me tenía que poner? Elegí mi mejor pantalón de mezclilla y mi playera de las Chivas, pero llegó mamá a arruinarme la jugada. Había encontrado a Patricia en la sala y ella le había informado de "nuestra cita". Después de entrar a mi cuarto como un huracán, calificó mi vestimenta de "inaceptable" y me obligó a ponerme una camisa y a quitarme los tenis. Primero le dije que no, pero ante la amenaza de que quemaría todas mis playeras de futbol, tuve que cambiarme. Me peinó con violencia y me dio un billete de cien pesos para que le comprara flores a la festejada y a mi acompañante. Háganme el favor... ¡Flores! ¿A quién le interesan? A menos que seas abeja.

Tambaleante, con sus zapatos altísimos, Patricia salió a la calle. Me dirigí a la parada del autobús, pero ella me tomó del brazo para apoyarse y preguntó:

—¿No vamos a tomar un taxi?

Al ver los dedos gordos de sus pies, que se agitaban en muda súplica, acepté. Llegamos a casa de Romina y salí al instante del taxi. Patricia, en cambio, se quedó inmóvil en su asiento, como esperando algo.

—¿Qué pasa? —le pregunté extrañado.

Ella señaló con la mirada hacia la puerta y entonces entendí. Al abrirla, me extendió la mano para que la ayudara a bajar. ¡¿Qué mosca le había picado?!

Pero eso no fue todo. Después se detuvo ante el aparador de la farmacia que está frente a la casa de Romina y se quedó observando algo. Me sentí obligado a preguntar:

—¿Te sientes mal? ¿Quieres una aspirina?

Ella negó con la cabeza e hizo un gesto de hartazgo. Examiné los artículos del aparador: antiácidos, pastas de dientes, pastillas de menta, peluches…

Entonces lo sospeché. Sí: ella esperaba un regalo. Aunque mamá me había dado dinero para comprar las dichosas flores, con lo que pagué por el taxi y lo que seguramente tendría que pagar por el regreso, me quedaban, cuando mucho, treinta pesos. De modo que decidí comprarle algo útil: un cepillo de dientes. Se lo entregué esperando una sonrisa pero no recibí ni un "gracias". Lo malo es que ya no me quedaba dinero para el regalo de la festejada. Sólo me sobraban doce pesos, así que compré unas plumas que me hacían falta para la escuela. Patricia se veía cada vez de peor humor.

Se veía venir una velada complicada.

Por suerte, al entrar a la casa de Romina, el sonido de la música evitó cualquier conversación con Patricia. Había buena música pero nadie bailaba. De inmediato, mi acompañante se separó de mí y fue a platicar con un grupito de niñas. Yo me encogí de hombros y me uní con mis compañeros de grupo. Había restos de papas fritas en varios platos y refrescos abandonados por toda la casa. La festejada estaba en medio de un corillo de niñas, vestida de manera estrafalaria, con unos shortcitos y una playera brillosa color plata. Supuse que en algún momento tendría que felicitarla. Pero no fue necesario: Romina tomó el micrófono y gritó:

—¡Feliz cumpleaños a míiii! ¡Ya tengo trece años!

Todas sus amigas lanzaron unos grititos agitados, como de ardillas en celo (bueno, en realidad no sé cómo gritan las ardillas en esas circunstancias pero me imagino que así se escuchan). En cambio, los chicos le dimos unos muy masculinos aplausos.

Todo iba bien hasta que empezó a cantar a capela la canción más fresa del mundo: *Gracias mil por quererme,* de Candy Girl. Los demás intercambiamos miradas preocupadas. Podría ser su cumpleaños, pero cantaba horrible. Busqué las salidas de emergencia, pero no había, así que sólo deseé que las ventanas no estuvieran tan altas para, de ser necesario, poder escapar. Afortunadamente, Toño se hizo cargo de la música y calló la escalofriante interpretación de Romina con *Kamikaze,* de Banda Power.

Entonces todos comenzamos a corear la canción dando brincos por la sala. Romina se desconcertó al principio, pero después se unió al baile. Entre brinco y brinco me topé con Patricia, que ya había botado sus ridículos tacones y cantaba con todos. Me gustó verla por primera vez integrada al grupo. Nos sonreímos en medio de nuestros aullidos.

La fiesta tomó otro rumbo —como si se tratara de un barco con una loca tripulación— y nos la pasamos realmente bien. Entonces ya no me importó saber por qué me había invitado.

Cuando la fiesta estaba a todo lo que daba y yo devoraba tres sándwiches al hilo, Romina se me acercó. Apenas alcancé a farfullar:

—Muchs felicdats… —y le entregué las plumas.

ELIZ CUMPLEAÑOS

—Sí, gracias, pero no venía a eso. Ya llegaron por ti.

—¿Quién? Si apenas son las diez y media.

—Pues ya llegó tu papá.

"¡Qué raro! —pensé—. No había quedado en eso con mi mamá. Según yo, iba a tomar un taxi de regreso..."

Seguí a Romina y encontré a papá platicando con Karla, la mamá de mi compañera, una mujer alta, delgada y de cabello rubio.

—Hola, hijo. ¿Dónde está tu amiga? Yo los voy a llevar. Tienes cinco minutos para despedirte.

—Pero, papá, no era necesario...

—Claro que sí. Y tu mamá está loca. ¿Cómo te iba a dejar tomar un taxi solo a estas horas?

Lo sorprendente no era que papá dijera eso, sino que Karla aprobaba todo lo que él decía con movimientos de cabeza. Me molestó que hablaran mal de mamá.

De mala gana, fui a buscar a Patricia. Le avisé que ya teníamos que irnos y, a diferencia de mí, ella no se molestó. Estaba de muy buen humor. Pero el mío empeoró porque tuvimos que esperar media hora más en la puerta a que papá terminara de platicar con Karla. ¡Pudimos haber aprovechado esos valiosos minutos para seguir en la fiesta! ¿No que tenía prisa por llevarnos? Al parecer, no tanta.

Los "cinco minutos" de los adultos se estiran o se acortan según su conveniencia. Lo bueno fue que me quedé con el dinero del taxi de regreso.

Finalmente, cuando dejamos a Patricia en su casa, ella me tomó por sorpresa y me dio un beso en la mejilla.

—Muchas gracias por todo. Te llamo luego —me dijo.

No me dio tiempo de responder: "¿Para qué?"

Capítulo Seis

Papá me dejó en casa y no quiso pasar. Mamá salió en pijama y, aunque no se dijeron una palabra, la furia se podía oler como el azufre. Subí a mi cuarto para quedarme con los restos de la noche y no contagiarme de ese enojo contenido.

Sin embargo, el domingo llegaría cargado de malas noticias y otra dosis de furia. Mi madre se encargó a primera hora del día de transmitírmelas:

—Joana te llamó para avisarte que Iván se rompió una pierna y que está en el hospital; también dijo que no le llames.

Esta información me hizo corto circuito. Y después de la descarga, un chispazo en la memoria me traspasó: había quedado de verme con Joana el sábado en el Octopus y la había dejado plantada. Seguro estaba furiosa.

Como ella sí tenía celular, le marqué desde el de mi mamá, pero nunca contestó. Llamé también a la casa de Iván, y lo mismo. Imaginé que él seguiría en el hospital.

—Mamá, ¿tú sabes en qué hospital está Iván? ¿Cómo fue que se rompió la pierna?

—No tengo idea. Joana no me dio tiempo de preguntar nada. Colgó en seguida.

—Tendré que esperar al lunes. Oye, ma, ¿ya está limpia mi playera de la temporada pasada? Ya sabes, la de rayas con los cuernitos de chiva... Es que me la quiero poner hoy.

—Fíjate, cariño, que a partir de hoy tu hermano y tú tendrán que ayudar con el asunto de la ropa.

—¡¿Qué?! ¿Y Lupita?

—Lupita no nos podrá ayudar más. Estuve haciendo cuentas y con mi sueldo no me alcanza para pagarle.

—¿De plano?

—De plano.

Esto no lo esperaba, así que me preocupé.

—¿Papá no te va a mandar dinero?

—Bueno, él sí va a mandar dinero, pero no suficiente... —iba a decir algo más, pero se calló.

Mmm, este asunto del divorcio no me estaba gustando nada. Y con tal de no lavar la playera, preferí ponerme otra.

Luego decidí platicar con mi hermano sobre esto. Como siempre, las vibraciones musicales que emanaban del interior de su habitación hacían retumbar la puerta.

—¿Martín? ¡¿Martíiin?! —tuve que gritar y golpear la puerta cada vez más fuerte.

—Pasa —la voz se oía ahogada por su música infernal.

La recámara de mi hermano siempre era un caos, pero esta vez estaba peor que nunca: pintó de morado los focos de las lámparas, otorgándole un aire siniestro a la atmósfera, y recortó las patas de la cama, dejando el colchón a nivel del piso y cubriéndolo con unas alegres sábanas negras.

—¿Qué quieres? —dijo sin disimular su enojo, y quitó su música.

"Siempre tan amable y dispuesto a escuchar a su hermano menor", me dije.

—¿Ya supiste que ahora tenemos que lavar nuestra ropa?

—Ajá.

—¿Tú crees que empieza nuestra desgracia económica?

—Sí, y vas a tener que conseguir trabajo pronto —otra vez el fantasma de la venta de pepitas.

—¿De veras? —me alarmé.

—No, enano, cómo crees. No pasa nada.

Recorrí su habitación con la mirada, despacio, hasta llegar de nuevo a él. Mi hermano estaba encerrado en su mundo morado, quizá con otro tipo de problemas muy distintos de los míos. Y nuestras burbujas, la suya darketa y la mía "infantil", como me veía él, nunca se acercarían. ¿Y si llegaran a acercarse...? Estallarían. Entonces no me aguanté:

—Claro que pasa. Pero tú ni cuenta te das. O quizá sí te das cuenta y no te interesa hablarlo conmigo. Por eso tu cuarto huele a muerto. Tú mismo hueles a muerto —estaba perdiendo el control y mi voz estaba temblando.

—Tranquilo, niño…

Cuando me dice "tranquilo, niño" me dan ganas de golpearlo. No pude seguir hablando. Me salí de su cuarto, como siempre: enojado y dando un portazo.

Fue muy raro llegar a la escuela ese lunes y encontrar vacía la banca de mi lado izquierdo. Todos hablaban del accidente de Iván, pero nadie tenía datos precisos. Sólo Joana, pero me daba miedo preguntarle. Como no tenía caso posponer más el momento, la abordé en el primer descanso. Apenas me vio, me lanzó una mirada resentida. Me acerqué a su lugar con la cola entre las piernas y mi mirada infalible de "perdóname" que siempre funciona.

Joana, que en el fondo no se resistía a mis trucos, sonrió un milímetro. Y me agarré de ese milímetro como si estuviera en el borde de un acantilado.

—Perdón, Joana, sé que no fui a la cita en el Octopus…

—… porque fuiste a la fiesta de Romina —agregó con un resto de enojo.

—Porque fui a la fiesta de Romina…

—… con Patricia —volvió a arremeter.

—Sí, con ella. ¿Qué, estás celosa? —me atreví a lanzar un golpe bajo y falso.

—Ja —se puso muy roja—. ¿De ti? Ni loca.

—Ya lo sé. Sólo quiero que me perdones. Dime qué debo hacer —volví a usar mi saco de humildad y con eso la ablandé.

—Ya, estás perdonado. Pero no me salgas con que estoy celosa.

—No, perdón. Ya sé que no —respondí mientras me preguntaba cuántos "perdones" llevaba ya en el día—. Mejor cuéntame qué le pasó a Iván.

—Pues aunque no lo creas todo tiene que ver contigo y con que me hayas dejado plantada. Como no llegabas, me subí a esperarte. También cité a Iván, pero un poco más tarde, para que pudieras decirme cómo fue que mi mamá te dio otra oportunidad para hacer el examen. Además, quería proponerles ir al concierto de música electrónica que será dentro de ocho semanas… No tenía mucho tiempo arriba cuando empecé a sentir que el árbol se cimbraba. Supongo que Iván llegó antes y quiso demostrarse que él también podía trepar por las ramas del Octopus, como tú y yo. Pero ya sabes que le tiene miedo a las alturas y que hay varios trucos para subir.

De hecho, ya estaba cerca de llegar a la cima pero se apoyó en una rama frágil y cayó. Me asusté muchísimo. Imagínate: lo vi caer desde arriba y vi cómo su pierna quedó doblada en un ángulo muy extraño. Me puse a gritar como loca. Iván no lloró, estaba como atontado. Lo bueno es que yo llevaba mi celular, así que le llamé a su mamá y ella llamó a la ambulancia. Al final, todo salió bien y hasta me felicitaron por reaccionar tan rápido, pero tú tenías que estar ahí para ayudarnos.

Después de ese largo relato, nos quedamos callados. Me sentí un poco mal, aunque no tan culpable como ella quería. Yo no estuve ahí para ayudarla, pero tampoco había empujado a nadie desde la cima de un árbol.

—¿Cuándo vas a ir a verlo? —dije para romper el silencio.

—Hoy en la tarde.

—Voy contigo.

—Bueno.

—Yo paso por ti para llegar juntos al hospital. Esta vez no te voy a dejar plantada —intenté hacer una bromita que, a juzgar por su expresión, causó el mismo impacto que estrellar un huevo contra la pared.

Pocas veces había estado en un hospital. Lo primero que me molestó fue el olor. No olía a jabón ni a desinfectante y, afortunadamente, tampoco a formol. Era un olor neutro que quería ocultar los olores a orina, popó, sangre y huesos cercenados. Bueno, quizás exageraba un poco, pero nomás entró el tufo a hospital a mi nariz supe que nuestra visita sería muy corta.

Pusimos caras largas cuando entramos a la habitación. Ahí se encontraba tendido el pobre de Iván con una pierna enyesada. Su mamá nos abrazó efusivamente al vernos y aprovechó para ir a la cafetería a comer algo.

Iván estaba normal. Esperaba encontrarlo enojado conmigo por haber propiciado, de alguna manera, lo que pasó. Pero no. Bromeamos igual y dijo que con su accidente no quedarían dudas de que en el Octopus recaía una maldición y que un ser malévolo empujaba desde arriba a los intrusos. Joana y yo no lo habíamos pensado, pero ciertamente lo sucedido avivaría nuestra leyenda, así que los tres festejamos eso.

Tocaron a la puerta y una enfermera entró con la comida. Era una buena oportunidad para escapar del olor a hospital, pero Joana no pensaba igual. Se acercó a la charola para examinar el menú, que constaba de un caldo de pollo gelatinoso y, probablemente, insípido; una pechuga hervida que parecía ya haber sido comida, digerida y regurgitada, acompañada de ensalada; y una gelatina de fresa que tembló ante nuestras miradas. Muy acomedida, Joana le acercó a nuestro enfermo la charola y, cínicamente, se sentó en un extremo de la cama a devorar la gelatina.

—¿Qué? ¿Por qué me ves así? —me dijo retadora cuando desaprobé con un gesto lo que hacía—. A él no le gustan las gelatinas.

El problema no era ése, sino que se había sentado a unos centímetros del fémur sano de Iván. Con ello, Joana había roto el protocolo de amistad entre sexos opuestos para adentrarse en otros territorios. Y no sólo se acabó la gelatina, sino que, ante mi atónita mirada, picoteó la ensalada del mismo plato de Iván. Esto era el colmo. La mamá del convaleciente reapareció en ese momento, y ese fue el pretexto perfecto para irnos. Joana se levantó apresuradamente de la cama y la señora no dijo ni pío. Cualquiera creería que estaba complacida ante esa escena apocalíptica.

Después de nuestra visita a Iván, fue imposible contar con Joana. Cada vez que la buscaba, resultaba que había ido a visitar al "enfermito". Yo no me atreví a ir de nuevo al hospital. El olor era insufrible. Me dediqué a vagar como alma en pena por el parque, esperando encontrar a algún conocido que aliviara mi soledad.

Y una tarde coincidí con la última persona que imaginé encontrarme:

—Hola, Richaaard.

—¡Patricia! ¿Qué haces? —la saludé y ocupé el columpio junto a ella.

—Nada, aquí... Oye, ya no te llamé para agradecerte bien lo de la fiesta.

—¿Qué cosa de la fiesta? —ante mi respuesta, su expresión se transformó, era como si se le hubiera reventado una bomba de chicle en el rostro.

—Pues que... mejor olvídalo.

Sus palabras sonaban pegosteosas. Empezó a mecerse frenéticamente mientras yo me movía apenas unos cuantos centímetros. Con ese fuerte impulso, parecía que su objetivo era salir disparada hasta las nubes. El aire que producía con su balanceo me puso nervioso, así que me levanté, me despedí deprisa y caminé hacia la salida del parque. No había avanzado mucho cuando alcancé a escuchar a mis espaldas un:

—¡A ver cómo te va en matemáticas!

Me paré en seco. Ya ni me acordaba de ese otro problema. Con Joana no podía contar. Ni con Martín. Y por lo visto Joana no era la única que sabía de mi acuerdo con la maestra. Me di la vuelta y justo en ese momento Patricia perdió el equilibrio y se cayó del columpio aterrizando de boca. Me acerqué para ayudarla, tragándome la risa. Ella se levantó rápido, muy apenada, sacudiéndose las rodillas raspadas. Le pregunté si estaba bien. Me dijo que sí, y no dejaba de darme las gracias. Algo me decía que mi galantería sería recompensada y que Patricia me ayudaría.

Durante esos días me sentí muy solo, tanto en la escuela como en casa —en mis dos casas—. Hubiera preferido sentirme enojado que triste. Por fortuna, tal como lo predije, Patricia me ayudó por las tardes a entender matemáticas y obtuve un honroso siete punto siete.

"Casi ocho", comenté cuando la maestra me dio mi examen. No quería que se sintiera tan defraudada por mi calificación, después de que me dio otra oportunidad. Pero las calificaciones no son como los precios del súper, que te ponen noventa y nueve punto nueve pesos, en lugar de cien, para que sientas que es más barato. En la escuela un siete punto nueve siempre vale siete, por más que ande rascando el ocho.

Llevaba varios días sin poder platicar bien con Joana. Seguía distante conmigo. Más que distante, estaba muy distraída y rara. Bueno, ella era rara, pero lo que de verdad me sorprendió fue que cambiara su overol de mezclilla por una faldita que dejaba ver sus rodillas saltonas. Parecían las cabezas de dos ancianitos calvos. Y lo más extraño fue que cuando me burlé de su atuendo no le importó un pepino. Hagan de cuenta que le estaba hablando al viento.

Cuando Iván reapareció en la escuela, en muletas y con la pierna enyesada, causó sensación. Pero también todo cambió. Él levantaba su fémur como un trofeo para que todos se lo firmáramos. La rugosa superficie se fue llenando de mensajes, como "alíviate pronto", "una víctima más del Octopus, ja, ja" y el clásico "qué mala pata". Pero el que atrapó toda mi atención fue el de Joana. No era una frase, sino un enorme corazón rojo con las iniciales de ambos: "J & I". Una declaración de amor a la altura del peroné.

Así que era eso. Se habían hecho novios por obra y arte del Octopus. Ahora faltaba que la leyenda terrorífica sobre el enorme encino se transformara en una leyenda de amor. Algo así como que el enamorado tendría que subir por las ramas y dejarse caer en los brazos de su amada. "Una pierna rota es un mínimo precio comparado con un beso de lengüita", pensarían algunos.

Ninguno de los dos me explicó nada. Pero eso sí, Joana me exigía que le cargara la mochila a Iván. Claro que lo haría: era mi mejor amigo. Sin embargo, la relación entre los tres

había cambiado. Tantos cambios no me estaban gustando nada. Siempre habíamos sido un equipo de tres, y ahora nos habíamos convertido en una pareja y un salero.

Todo en mi vida estaba revuelto. Y yo sólo me dejaba arrastrar por los giros, sin poder detener las embestidas.

Otra de las novedades tenía que ver con papá. Su departamento había quedado a medias: apenas había conseguido algunos muebles y, como no tenía alfombras, era muy frío. Lo más fastidioso era saltar de casa en casa. Además, los fines de semana que teníamos que estar con papá no estaban resultando fáciles. Martín no tenía tanto problema porque él se encerraba en su cuarto a escuchar música o se conectaba al Facebook durante todo el fin, sin que papá le dijera nada. Pero no podía hacer lo mismo conmigo, y en cada visita tenía por delante dos largos días con papá. Pensé llevarme el Xbox al departamento gris, pero como pasaba más tiempo en casa de mamá, decidí que no era buena idea, así que ni siquiera tenía esa distracción. La sorpresa llegó un sábado por la mañana:

—Ya sé qué vamos a hacer hoy. Vamos a montar a caballo con tu amiguita Romina —me anunció papá con un tono emocionado.

—¿Qué? ¿Con quién? ¿A hacer qué? ¿Por qué? ¿Cómo? —lo acribillé con preguntas nada entusiasmadas.

—Con tu amiguita Romina —repitió él, cambiando su tono azucarado.

—Yo no sé cabalgar.

—Por eso mismo, hoy vamos a hacer algo diferente —se le desprendió otra capa de melcocha a su voz.

—No quiero ir.

—Pues vas —la voz perdió toda dulzura y se presentó desnuda y al borde del grito—. ¡Y debes estar listo en media hora!

La verdad, me negaba a ir por muchas razones. No me interesaba en lo más mínimo convivir con Romina, mi supuesta "amiguita", porque ni me llevaba con ella. Además, este asunto de los caballos me daba miedo porque intuía que no tenía ni el porte ni la habilidad de un jinete. Finalmente me resigné, pues pensé que estaba siendo injusto con papá, que sólo buscaba distraerme. Poco después entendería que este plan no era lo que parecía.

Me puse unos pantalones de mezclilla y mis tenis. Alcancé a papá en el estacionamiento y, con cara de pocos amigos, me subí al auto.

Llegamos a casa de Romina y papá tocó el claxon. En seguida salieron las dos mujeres vestidas de manera curiosa: mi compañera traía una gorra rarísima y un traje que parecía que le quedaba chico. Su mamá llevaba una falda de mariachi y unas botas como de *cowboy*. En el trayecto, papá y Karla charlaban como si no hubiera un mañana. Romina y yo, en cambio, permanecimos en silencio y cada uno con la mirada fija en su ventanilla, observando el paisaje. Fue un largo camino por la carretera hasta llegar a un llano que ellas llamaban pomposamente "lienzo". Al llegar, lo primero que me molestó fue el olor a caca de caballo, luego los animalotes, con la piel brillante y bufando por unas fosas nasales enormes, como de dragón. Romina y su mamá se subieron con destreza al lomo de sus caballos, que los entrenadores trajeron agarrados de las riendas. Cada uno tenía nombre: Pingüica, el de Romina, y Fausto, el de su mamá. Papá, que jamás se subía ni siquiera a un carrusel, montó, entre risas, al Alado. No lo hizo con rapidez, pero se defendió. Ahora todos los ojos estaban fijos en mí, esperándome. Al ver mis titubeos, uno de los entrenadores se acercó para asesorarme. Chifló y llegó al ruedo, no un brioso corcel, sino un caballo blanco jaspeado, que resultó ser una mula. Logré subirme a su lomo con rapidez. El animal comenzó a trotar y yo sentí que mi coxis era machacado como puré. Mi trasero, en esos momentos, cobró un protagonismo que nunca había tenido.

Aguanté como diez minutos pero me rehusé a seguir sobre aquel animal. Entre risas, mis compañeros se alejaron a todo galope, y yo me quedé con el trasero adolorido y el orgullo hecho pedazos.

Al cabo de una hora, que a mí se me hizo eterna, regresaron los tres, chapeados y sudorosos. Papá seguía muy platicador con Karla. En cambio, Romina me miraba por encima de su respingada nariz. Cuando pensé que todo había acabado, papá sugirió ir a comer carne asada.

El plan campirano a todo lo que da. Yo me moría por llegar a la civilización y ponerme fomentos de aceite en el trasero.

En el restaurante, los dos adultos insistieron en que Romina y yo nos sentáramos en otra mesa para que "platicáramos a gusto". Pero ni ella ni yo éramos tontos: quienes querían platicar a gusto eran ellos. Como ninguno estaba de ánimo, comimos nuestros tacos de arrachera en silencio, con los ojos fijos en nuestros padres. Para ese momento todo estaba claro: los dos tenían muchas cosas en común, principalmente el que ambos eran divorciados. Cuando llegó el postre, preferí comerlo de pie. Todavía me faltaba un largo camino de regreso sentado en el coche.

Esa tarde —según lo acordado—, papá nos llevó a casa de mamá. Subí al baño a darme un baño de asiento. Con todo y la puerta cerrada me llegaron las voces furiosas de mis papás, que se elevaban de nuevo como serpientes hasta mis oídos.

Esa noche, el veneno de las serpientes funcionó. Escuché a mamá llorar desde mi cuarto e, inevitablemente, yo también derramé algunas lágrimas en el mío. Martín nunca lloraba, pero la música que escupían sus bocinas era la más deprimente.

No todo estaba tan mal. No había que desgarrarse las vestiduras. Aunque mis mejores amigos se habían enamorado y ya no me incluían en todos sus planes —por ejemplo, besarse junto al árbol de la jardinera del patio central—, seguíamos saliendo juntos y manteniendo cierta complicidad. Uno de los experimentos que hicimos fue subir a YouTube un video sobre cómo vivir en la ciudad con una pata enyesada. Fue muy divertido. La mamá de Joana nos prestó su cámara de video, algo viejita pero que todavía funcionaba. Nos subimos al metro y la pierna de Iván estorbaba e incomodaba a los pasajeros, que no tuvieron más remedio que ceder su lugar. Cruzamos avenidas desafiando a camiones que, sorprendentemente, se detenían para darnos el paso. También quisimos pintar el yeso para convertirlo en arte-objeto y registrar todo el proceso, pero acabamos bañados en pintura e Iván tuvo que meterse a la regadera —en traje de baño, porque hubo censura por parte de Joana—. Luego acostamos a Iván para usar su pierna enferma como tendedero de calzones. Al final, mis amigos se dieron un beso de lengua que, en un momento de euforia, también grabé. Nos quedó genial. Como el pobre de Iván tenía mucho tiempo libre, editó el video. Joana fue la guionista y yo el director. Obtuvimos setenta y cuatro visitas en YouTube. No estuvo nada mal.

A partir de ese momento, lo que más deseaba era tener una cámara de video. Como papá estaba de un ánimo tan complaciente, planeé pedírsela de regalo en la próxima visita a su casa. Sabía que con mamá no la conseguiría, pues últimamente amanecía con los ojos hinchados y con un humor de perros. Aunque no me detenía mucho a pensarlo, aún tenía la esperanza de que mis papás se reconciliaran. Pero un día me di cuenta de dos cosas: que los adultos, al igual que nosotros, hacen rabietas y que mis papás no se reconciliarían nunca. Lo descubrí el día que llegué temprano de la escuela. Había faltado el maestro que nos daba las últimas dos horas de clase y nos dejaron salir antes. Al entrar a la casa, encontré a mamá sentada en el piso, rodeada de muchísimas fotos. No me escuchó llegar, así que me acerqué sigilosamente para ver qué *collage* estaba armando. Cuando distinguí que sólo se trataban de fotos en las que salía papá, sentí una punzada en el estómago. Mamá se había dedicado toda la mañana, con una perfección que rayaba en la locura, a recortar la silueta donde él aparecía. En el piso, pura pedacería de papá. Mi mamá dio un respingo cuando me vio, alzó apresuradamente el cuerpo del delito, me dedicó una sonrisa nerviosa y huyó a la cocina.

Después de ese día, mamá se volvió otra. Para mejorar sus ingresos, pues con su sueldo no era suficiente, se volcó en las ventas. Cada tarde que tenía libre, organizaba juntas en casa

con muchas señoras para vender todo tipo de cosas. Era la capitana de un batallón de promotoras de cosméticos, vitaminas, mascotas y hasta calzones por catálogo.

Ya no escuchaba sus sollozos por las noches, pero todos los retratos donde salía papá desaparecieron.

Como no pude conseguir la cámara de video con papá y veía que mamá contaba billetes en la mesa del comedor cada noche, me atreví a preguntarle:

—Mamá, ¿me comprarías una cámara de video?

Y mamá, como todos los adultos que no tienen corazón, me respondió:

—¡Claro que no!

—Pero estás ganando más dinero.

—Es para los gastos de la casa.

Frente a la respuesta furiosa de mi progenitora, utilicé mi as bajo la manga:

—Bueno, mejor se la pido a papá...

La siguiente semana apareció la cámara en mi habitación. Le di mil besos a mamá, pero ella no lucía tan feliz al recibirlos.

Capítulo Siete

La cámara de video cambió mi vida y mi manera de ver las cosas. Lo primero que grabé fue una de las reuniones de mamá con sus chicas vendedoras, quienes aplicaban cremas a unas clientas en la sala de la casa. Estallaron en risas cuando me descubrieron con la cámara. Parecían coles de Bruselas embarradas con crema. Decidí nombrar con cierto sarcasmo a ese corto: "Embelleciendo a las bellezas". Dejé de jugar con Argos y con el Xbox. La cámara se volvió mi compañera, un objeto de envidia y la testigo y reportera de mi vida cotidiana. Todo lo podía registrar, entender y cambiar a través del cuadrito de cristal.

Me acompañó al futbol, un par de veces a la escuela —hasta que la directora me amenazó con confiscarla si la volvía a llevar porque estaba prohibido— y a todos los paseos de fines de semana.

Martín se quedó de a cuatro cuando supo cómo le había sonsacado la cámara a mamá. Se enojó mucho conmigo y dijo que él nunca idearía algo así para conseguir más dinero o regalos. Me dijo algo que me dolió: que yo me estaba aprovechando de la situación. Después me prohibió grabar en su cuarto y me corrió de él casi a patadas. ¿Qué le pasaba? ¿Por qué se comportaba así? Seguramente me tenía envidia. Esta vez yo había sido más listo que él.

En venganza, intenté grabarlo mientras se bañaba. Pero no pude porque él nunca olvidaba poner el seguro a la puerta. Tampoco logré grabar nada en su cuarto. Éste sería un reto por cumplir en mi joven carrera de cineasta.

En las visitas a papá capturé cómo se fue poblando de muebles su triste morada. También registré, semana a semana, los pelos que brotaban de las axilas de Iván. Fue asqueroso y a la vez divertido. De ser un bosquecillo ralo se convirtió en una selva exuberante que pugnaba por salir de los pliegues de su camiseta. Él quería que también documentara el crecimiento de las *bubis* de las chicas, pero francamente me dio pena. Mi arte tenía ciertos límites.

Hasta grabé a papá con Karla saludando tontamente a la cámara mientras se subían a la rueda de la fortuna. En general, ellos se comportaban todo el tiempo un poco "tontamente". Romina y yo estábamos hartos de esas salidas pero, poco a poco, nos fuimos acercando e intercambiábamos nuestras confidencias sobre lo que era ser "hijos de divorciados".

—Míralos —le dije mientras me atascaba de palomitas—. Divirtiéndose como enanos.

—Ellos sí —dijo con coraje Romina—. ¿Y tu mamá?

—No tanto —tuve que confesar—. ¿Y tu papá?

Romina declaró tajante:

—Más o menos. Viaja mucho, así que supongo que se entretiene. Yo por eso nunca me voy a casar... para no tener que divorciarme.

—Yo tampoco —afirmé al tiempo que me echaba en la boca otro puñado de palomitas.

—¡Qué asco! —comentó Romina al ver a su mamá besarse con mi papá, pero en seguida cambió de tema—: Oye, tu cámara está *cool*. ¿Quién te la dio?

Le conté mi estrategia para conseguirla. Ella quedó impresionada con mi plan.

—Intentaré hacerlo cuando vayamos de compras a Miami. Mi ventaja es que ahora tengo dobles vacaciones. En diciembre voy unas semanas con papá a la playa y después una semana con mamá a la nieve.

—¡Guauuu! Yo no conozco la nieve. ¿Esquías?

—Pues sí. Si no, ¿a qué vamos? Pero ¿sabes?, no es tan divertido ir sola con mamá. Aunque no lo creas, prefería las vacaciones en casa, echando la flojera, todos juntos.

—A lo mejor se reconcilian —sugerí sólo para animarla, pero sabía que era poco probable al ver a Karla tan contenta con mi papá.

—A lo mejor —suspiramos los dos mientras nuestros padres bajaban, entre risas, de la rueda de la fortuna.

Romina no me caía tan mal después de todo. Pero eso sí, esperaba que nunca tuviera que llamarla "hermana".

En la escuela todo parecía marchar bien. A tropezones iba pasando matemáticas. Ahora el problema era la clase de gimnasia, pues al profesor Alarid se le ocurrió que para el festival del Día de la Mamá presentaríamos una tabla gimnástica llamada "Las Punzadas". Consistía en hacer pirámides humanas, acrobacias en colchones y figuras de alto grado de dificultad encima de los hombros de nuestros compañeros. Yo estaba seguro de que llevaría a cabo la figura más complicada: subirme a los hombros de Sebastián y de ahí despegar en llamativo salto mortal hasta el suelo. Y estaba seguro porque mi complexión era delgada y porque, al igual que Joana, había trepado al Octopus cientos de veces. Éramos ágiles cual monos chiapanecos. Pero el profesor no me eligió para el número más difícil. Ni siquiera para el de mediana dificultad. Ni siquiera para ofrecer mis recios hombros a un compañero. No. Me asignó el papel de ¡darle vueltas a unas banderolas! Como si yo fuera la persona más débil y poco capaz del planeta.

Intenté protestar, pero el profesor Alarid era muy intransigente. De hecho, me puso un reporte "por rezongón". Yo estaba furioso y muy herido en mi amor propio. Hasta le ofrecí grabar la actuación de mis compañeros, todo con tal de no parecer bastonera. No hubo manera. Dijo que era buena idea grabar la tabla y que como Iván no podía participar, él se encargaría del video. Que "gracias por la sugerencia", "que si le podía prestar a mi amigo la cámara, como buen compañero". Iván me pidió disculpas después, pero él no era culpable de nada. Mi ira no era contra Iván, sino contra el antipático profesor. Con toda saña, el maestro me informó que además tendría que ponerme unas mallitas blancas, como de luchador. ¿En qué estaba pensando? ¿Por qué la había agarrado contra mí? Era cierto —y no lo negaba— que yo le había puesto el apodo de "Alarido" y que, en algunas ocasiones, hacía una rutina cómica donde lo imitaba, la cual me había valido muchas risas y aprobaciones de mis compañeros, pero… ¿se habría enterado?

Estábamos en febrero y el maldito festival era en mayo. Durante cinco semanas tuve que ponerme el ridículo ma-

llón y agitar la patética banderola. Entonces me dediqué a odiarlo. Sí, sabía que estaba mal, pero era la verdad. Deseaba con todas mis fuerzas que se cancelara la dichosa tabla gimnástica.

No sabía, hasta después, qué tan poderosa podía llegar a ser mi mente.

Dos días antes del festival, la directora nos convocó a primera hora en el patio, incluyendo a la planta de maestros y a la escolta. Algo muy urgente tenía que informar. Titiritando, nos envolvimos en nuestras bufandas y salimos en fila.

Todos los maestros vestían de negro. La directora habló:

—Buenos días, niños.

—Buenos días, señora directora —contestamos con el sonsonete habitual que lo que menos expresaba era el deseo de un día venturoso.

—Les tengo una noticia muy triste. El maestro Álvaro Alarid, desafortunadamente, falleció el día de ayer.

Un ¡ooooh! salió de casi todas las bocas. Algunas compañeras empezaron a llorar. ¿De cuándo acá era tan querido?

—El maestro Alarid —continuó la directora con solemnidad— trabajó con nosotros durante tres productivos años y llenó de dinamismo la clase de gimnasia. Vamos a guardar un minuto de silencio en honor a nuestro compañero caído.

"¿Compañero caído? Eso suena como a la guerra —me dije—. ¿A qué se refería la directora? ¿Cómo había muerto el profesor? ¿Tendría yo algo que ver?" Todos esos pensamientos rebotaron en mi cabeza durante ese largo minuto.

—Se van a suspender todas las actividades de gimnasia del Día de la Madre, y ahora tendrá otro espíritu el festival, más luctuoso.

Me quedé pasmado, no porque lo extrañara, sino porque sentía que yo, de algún modo, había provocado esa muerte al desear la cancelación de la odiosa tabla. Claro que podía ser mera coincidencia, pero… ¿y si no? Me sentí culpable y, en el fondo, también muy poderoso. Entonces la esperanza renació de nuevo y pensé que si deseaba con todas mis fuerzas que mis papás se reconciliaran, mi mente sobrehumana los uniría de nuevo. Sólo era cosa de proponerme cada tarde concentrar todas mis fuerzas en ese pensamiento.

Llamé a esos momentos "Mi meditación unificadora". Quizá suene un poco atómico, pero cada tarde a las seis en punto me encerraba en mi habitación y durante quince minutos dirigía todo mi poder mental a imaginar a mis papás juntos otra vez, en la misma casa, platicando como lo hacían antes, abrazándose. No los visualizaba besándose porque me parecía excesivo.

Por supuesto que, pese a mis esfuerzos mentales, nada sucedió. No tenía ningún poder ni había sido el causante de la muerte del profesor. Pronto abandoné ese objetivo y dediqué mi tiempo libre a estar con Iván y Joana. No me separaba de ellos, aunque me había convertido en el mal tercio.

Hasta que un día Joana me lanzó la indirecta: "¿Y si invitas a alguna chica para que se nos una y no te aburras?" Yo no me aburría, pero entendí perfectamente el mensaje oculto. Primero me ofendí y quise apartarme, pero me la pasaba tan bien con ellos que decidí repasar la lista de mis amigas. No quise decirle a Romina porque ya la veía bastante y era inevitable relacionarla con el romance de papá. Y lo que menos quería era fomentar su amorío. Además, a Joana no le caía muy bien. Entonces se me ocurrió invitar a Patricia. Así que el viernes la abordé en la clase de geometría.

"¿Qué vas a hacer hoy?", le acerqué un papelito. Sabía que ella no los recibía porque, según la política de los *nerds*, distraen. Yo nunca le había pasado uno, así que, sorprendida, lo aceptó. Lo leyó en un segundo pero se tardó casi cuarenta minutos en devolvérmelo, esperando "el momento preciso". Y cuando lo hizo estaba temblando. "Estudiar para el examen de…", alcancé a ver y, sin acabar de leer su respuesta, garabateé: "¿Irías al cine hoy?"

Ella enrojeció al leer mi segundo mensaje y, con la cabeza un poco rígida, hizo un movimiento afirmativo. Por lo visto, no arriesgaría más su historial impecable en conducta, así que anoté en mi cuaderno: "Nos vemos a las cinco afuera del CineRex", y se lo mostré.

A las cinco estábamos Iván, Joana y yo muy puntuales afuera del cine. Patricia se retrasó un poco, pero llegó. Cuando vio a mis amigos, se acercó titubeando y comentó:

—¡Qué casualidad que nos hayamos encontrado todos aquí!

—No es casualidad —le respondí extrañado—. Así era el plan.

—Ah, bueno —me contestó un poco chasqueada.

—Vamos a formarnos —ordenó Joana—. ¿Qué vamos a ver?

Se exhibía en cartelera: *Terror en la hamburguesería*, *Amor a la primera mordida* y *Complot de autos*. Joana ni nos consultó: pidió cuatro boletos para la de terror. Pero al juntar el dinero nos dimos cuenta de que habían subido las entradas, porque nos faltaban cien pesos. Nunca avisaban. Patricia completó la cantidad. Y todavía, cínicamente, Joana le sonsacó un bote grande de palomitas. Ya en la sala, la película de verdad daba escalofríos de tan aterradora. Tanto que, en algún momento, Patricia me apretó el brazo y yo lancé un grito doble: por la escena y por el dolor del apretón.

Saliendo del cine, invité a todos a mi casa. Quería pagarle a Patricia lo que había gastado. Era lo justo. Además, las palomitas nos habían despertado el apetito, pero ya no teníamos dinero para la cena. Esa noche mi mamá no tenía reunión con sus chicas vendedoras, así que aceptó darnos de cenar y reponerle a Patricia su dinero. Estaba de magnífico humor.

Mientras saboreábamos unas quesadillas y un chocolate caliente, Iván sacó de su mochila la cámara de video que le había prestado para la funesta presentación de "Las Punzadas". Pero mamá lo regañó:

—Préstamela. No la vayan a ensuciar con las manos llenas de grasa.

Mamá revisaba divertida nuestras grabaciones hasta que, de pronto, se quedó callada y palideció. Lagrimones espesos como miel cayeron sobre su plato. Se levantó y salió del comedor. Todos nos quedamos desconcertados.

—A ver... pásame la cámara —le pedí a Joana.

Entonces lo comprendí todo: había descubierto los videos donde aparecía papá con la mamá de Romina en la rueda de la fortuna. Me sentí fatal.

El lunes, antes de entrar a clases, Joana me detuvo:

—¿Cómo te fue el viernes con lo de tu mamá?

—No me he atrevido a hablar con ella, pero la verdad me siento muy mal. Yo tuve la culpa, yo grabé a papá con la mamá de Romina y eso fue lo que le dolió —qué extraño, reflexioné: la cámara puede registrar cosas maravillosas pero también cosas que provocan daño—. Y a ustedes, ¿cómo les fue? ¿Cómo se regresaron?

—Nosotros también tuvimos un desenlace muy extraño. Como Iván no puede caminar mucho por lo de su pierna, convenció a su mamá de pagarle un taxi al llegar a su casa. Y Patricia y yo vivimos en rumbos opuestos, así que ella propuso que me quedara a dormir en su casa y mamá me dio permiso. No quiero ser chismosa, pero la casa de Patricia es de lo más rara. Más que su casa, su recámara: está llena de peluches y muñecas por todos lados. Bueno, ella es un poco rara en muchas cosas, tú disculparás. En general, fue muy amable, pero se puso furiosa por una tontería.

—¿Por qué?

—Porque se me hizo fácil tomar prestado un cepillo de dientes nuevo que tenía en su buró y ella se puso como loca. Dijo que era un recuerdo. Imagínate. ¿Un recuerdo de qué? ¿De alguna caries?

Me quedé frío. Comprendí que era el cepillo de dientes de la fiesta. Y entendí, hasta ese momento, que Patricia estaba enamorada de mí.

—¿Qué te pasa? —preguntó Joana—. ¿Sí me escuchaste?

Afortunadamente, en ese momento, sonó la campana de inicio de clases.

Capítulo Ocho

Me atreví a tratar el tema de la cámara con mamá a la mañana siguiente.

—Mamá, mil perdones.

—Pero ¿por qué? —me preguntó extrañada y con los ojos hinchados.

—Ya sabes... por lo que viste el otro día en la cámara.

—Ah, eso, no te preocupes. Tarde o temprano me iba a enterar. Además, tu papá y yo tenemos derecho a rehacer nuestras vidas. Tú no tienes la culpa de nada.

Un sentimiento extraño me apretó el corazón: no me había afectado tanto ver a papá con otra mujer. Pero no podía imaginarme a mamá con otro hombre. Y sabía que eso era muy injusto.

—Y eso ahorita no importa. ¿Ya sabes lo de tu hermano? —preguntó mamá con una voz tristísima.

—¿Qué pasa con Martín? —me alarmé.

—Se va a vivir con tu padre.

—¡¿Te cae?! —exclamé sin pensar.

No esperé a que me respondiera, fui corriendo al cuarto de Martín y entré sin tocar.

—¿Te vas a ir?

—Sí —me respondió mirándome a los ojos y con una extraña calma—. Siéntate.

Me senté en su cama que, por primera vez, lucía perfectamente tendida. Por fin descubrí el estampado del edredón: unas hojas color beige sobre un fondo café oscuro.

—A veces tienes que elegir. Yo me entiendo mejor con papá. Tú aún eres menor de edad, así que tienes que vivir con mamá. Le haces más falta —intentó explicarme pero lo hacía de manera condescendiente.

Siempre el maldito asunto de la edad. Como si yo fuera un tonto sólo por haber nacido después. Mi hermano siempre había sido indescifrable para mí, como un jeroglífico egipcio. Pero, por alguna razón, también necesitaba que estuviera ahí, en su cuarto, aunque fuera un búnker darketo, aunque sólo pudiera escuchar las vibraciones de su música.

Martín había empacado casi toda su ropa y su computadora. Había desprendido de las paredes todos sus pósteres de Metallica y sólo quedaban agujeros y recuadros de otro tono en el muro. Parecía una especie de cementerio al que recién le habían arrancado las lápidas.

—¡Yo me quedo con mamá, pero no por eso! —grité con la voz ondulante. Odié estar a punto de llorar, así que por tercera vez salí de su cuarto en cobarde huida. ¿Por qué nunca podíamos conversar?

Estaba muy resentido con mi hermano. Y cuando me tocó ir al departamento gris sentí que, aquella vez, yo era el único intruso. Martín quiso congraciarse regalándome unas migajas de amabilidad y papá también era todo dulzura. Ese extraño fin de semana papá sugirió que fuéramos a un balneario a las afueras de la ciudad.

—¿Sólo nosotros? —pregunté temiendo la compañía impuesta de Romina y su mamá.

—Sólo nosotros tres —contestó con una gran sonrisa.

A mí me gustó la idea porque eran días muy calurosos, y aunque el agua de esas albercas es de dudosa procedencia, al poco rato se te olvida y disfrutas el chapuzón. Apenas llegamos, papá y yo nos aventamos clavados "de bombita" desde el trampolín y, pese a que nos sumergíamos en medio de una sopa humeante de nadadores, nos la estábamos pasando muy bien. En cambio, Martín se veía malhumorado y no quiso quitarse el *short* ni la playera de manga larga, con todo y el calor sofocante que hacía. También me divertí de lo lindo

con mi cámara de video: enfoqué desde lonjas y ombligos semienterrados entre grasa hasta esqueléticos cuerpos peludos como ciempiés. ¡Cuántas figuras tan distintas y tan fascinantes!

En eso estaba cuando descubrí a Martín dirigiéndose a los vestidores. En seguida se me ocurrió grabarlo en infraganti, pues esta vez no podría ponerle pasador a la puerta. Sigilosamente, lo seguí y me oculté.

Desde mi escondite, vi que Martín intentaba refrescarse mojándose la cara. Y después de comprobar que no había nadie en el vestidor, se quitó la playera, desesperado.

Entonces lo enfoqué, divertido, hasta descubrir algo horrible y gigantesco en su brazo izquierdo: un tatuaje de un ajolote rodeando algo parecido a un delfín. Comenzaba desde el antebrazo y terminaba en el hombro. El ajolote tenía unas barbas desiguales y lo que parecía un delfín lucía gordo y sin chiste. El dibujo era disparejo, con unos trazos muy gruesos y otros muy delgados. Y los colores, morado y rojo, afeaban aún más todo el conjunto.

Casi tiro la cámara por la impresión, así que Martín me descubrió. De inmediato puso la palma sobre el monitor y yo bajé la cámara. No me interesaba grabar para la posteridad esa cara de enojo y sorpresa. Pero no pude evitar preguntarle:

—¿Y eso tan feo?

Su enojo se evaporó como las gotas de sudor que escurrían por nuestras frentes.

—Un tatuaje. ¿Qué? ¿Nunca habías visto uno?

—Sí, pero no uno tan feo. ¿Por qué te quedó así?

—Pues un tipo que me habían recomendado, pero no le sabía mucho. Ya sé que está espantoso y estoy buscando quitármelo. Pero, por favor, no quiero que mis papás se enteren de nada, ¿entiendes? —era extraño escucharlo hablar así.

—¿Y de verdad se puede quitar?

—Sí, pero cuesta mucho. Estoy ahorrando dinero para hacerme el mentado procedimiento.

—¿Cuánto cuesta? —me atreví a preguntar.

Cuando me dijo la cifra, alcé las cejas hasta el techo.

—¿Y qué se supone que es?

—Un dragón, un puñal y una mujer desnuda.

—¡¿De veras?! Creí que eran un ajolote y un delfín —y me empecé a reír sin parar.

Y, fantásticamente, Martín se unió a mis carcajadas. Sentí que esas risas, por primera vez, nos ataban como a dos personas iguales.

Pensé mucho en el tatuaje de mi hermano. La idea de los tatuajes es que son una marca que se queda ahí para siempre, como una cicatriz. ¿Por qué le apostamos tanto a la palabra "siempre"? Mis papás, por ejemplo, creyeron que su matrimonio sería "para siempre". Por lo que veía, ésa era una palabra muy peligrosa y borrarla de la piel significaba mucho dinero y, sobre todo, mucho dolor. Admiraba en el fondo a Martín, tan intrépido en sus locuras, así que decidí ayudarlo a juntar dinero para borrarse ese espantoso dibujo.

Como yo estaba en quiebra permanente —a los trece años dependemos aún de la caridad de los adultos o de los cambios que a veces les birlamos—, lo único valioso que poseía era la cámara de video. Resolví venderla. Era hora de que la cámara hiciera algo por mi familia. Había lastimado a mamá, pero le podía ser útil a mi hermano. Además, tal como dijo Martín, la había obtenido aprovechándome de la situación. Y aunque me dolía desprenderme de ella, sentí que era lo correcto.

Estaba poniendo un aviso en el periódico mural de la escuela, cuando sentí la presencia de alguien a mis espaldas.

—¿Qué haces? —era Patricia.

—Eeeeh, clavando un aviso.

—¿La vendes? —preguntó al ver de qué se trataba—. Le voy a decir a mi mamá. Quizá le interese, porque la suya ya es muy viejita. ¿Te puedo llamar en la tarde?

—Eeeeh, sí. Llámame si a tu mamá le interesa. Me urge venderla.

—¿Y no te puedo llamar por otra razón? —me reclamó.

Por más que intentaba, ya no me podía portar natural con ella.

—Bueeeno. Llámame si sabes de algún otro comprador. Ahí viene Iván, voy a ayudarle con su mochila. Adiós —me escabullí.

Los amigos siempre nos salvan de situaciones difíciles.

—Te ayudo, te ayudo —le dije afanosamente.

—Gracias —respondió Iván y me propuso—: Oye, ¿quieres ir a comer a la casa hoy? Después podemos hacer la tarea juntos, porque es muchísima.

—Sí, claro. ¿Quieres que vaya por Joana?

—Mmm, no. Sólo tú y yo —Iván casi se cae al responder.

—¿Pooor? —me extrañó.

—Porque ya no andamos.

—¿Quéee? —casi me caigo yo también.

—Pues eso. Nos vemos en la tarde —me arrebató su mochila y se escabulló como yo lo había hecho con Patricia. No pudo caminar más rápido porque aún seguía cojeando.

Ese día parecía que todos quisiéramos correr antes que dar explicaciones.

Con lo que no contaba era que Joana me abordaría en la salida para decirme que quería platicar conmigo esa misma tarde. Le tuve que decir que no podía. "¿Y eso?", preguntó justo como temía. "Porque voy a ver a Iván." No le vi la cara porque fingí estar distraído, pero percibí su enojo ante mi respuesta.

Esa tarde, ni Iván me dio explicaciones ni yo se las pedí. ¿Para qué? No entendía las uniones y menos aún las separaciones. Lo que ahora me importaba era vender mi cámara. Patricia no se comunicó conmigo, pero por la noche me llamó Joana:

—Hola. Conque fuiste a ver a Iván, ¿verdad?

—Sí, ya te lo había dicho.

—¿Te dijo algo de mí?

—No.

—¿Quieres saber por qué cortamos?

—No.

—Pues tronamos porque tu amigo es un idiota —siguió sin escucharme.

—Joana, yo…

—Después de que lo cuidé cuando estaba enfermo, y hasta le di de comer en la boca… Ese imbécil… ¡anda con otra!

—No sé para qué me cuentas… —intenté decirle, pero no me dejaba terminar una sola frase.

—No te imaginas, es un mentiroso, anda con...

—No quiero saber con quién...

—¡Con la mensa de Adriana! ¿Lo puedes creer? Esa niña que parece lagartija parada, con los ojos tan separados como un pescado y...

—¡Cálmate, Joana! —estaba sorprendido por la erupción de insultos de mi volcánica amiga.

—Y a ti, ¿no te importa nada de eso? ¿No te importa que dijera que eres un tibio y que nunca has tenido una opinión propia en tu vida? —empezó a sollozar.

Me dejó sin palabras. Sabía que quien hablaba era su enojo, pero presentí que algo de verdad tenían también sus palabras.

Antes de dormir, anoté algunas de mis opiniones sobre el mundo.

Me caen mal los matados.

Odio las comidas familiares.

Me gusta oler la mugre que se acumula en las uñas de los pies, ¿y qué?

Opino que el América es el peor equipo del mundo.

Creo que las misas son aburridísimas y que la gente sólo va a las iglesias a pensar en sus cosas.

z Z Z z

"Son opiniones importantes, ¿no? Interesantísimas. Podrían escribirse libros acerca de ellas", me dije. Y con esto en claro abordé a Iván el siguiente día en la cafetería:

—¿Viste ayer el partido? América apesta. Me gustaría que desapareciera del planeta. De hecho, me gustaría que el continente ya no se llame América para no tener que mencionar el nombre de ese equipo de porquería —fui muy enfático y esperé un minuto para ver su reacción.

—Aaah —no lo vi muy impactado.

—Después de ver un partido de esos animales, lo peor es ir a una de esas eternas comidas familiares donde hablan de parientes que, o no conoces, o ya se murieron. ¿No crees?

—Pues sí —contestó desabridamente.

El tibio era él, con ese ánimo desganado. En ese momento, Iván pidió en la cafetería un Pelón Pelo Rico. Y aproveché para lanzar mi última estocada:

—Yo prefiero mil veces, qué digo mil, un millón de veces más, los Miguelitos.

Iván me miró como si estuviera loco. Y sepultó mis opiniones con una frase que me dejó boquiabierto:

—Eres muy drástico. Deberías aprender a ser menos exagerado.

Capítulo Nueve

Logré vender mi cámara mucho antes de lo que pensé. Aunque la mamá de Patricia supuestamente la quería, nunca cerramos el trato. Por suerte, hubo muchos interesados: alumnos y profesores; después pensé que quizá la estaba ofreciendo demasiado barata. Acabé vendiéndosela al nuevo profesor de gimnasia para que registrara las actividades deportivas. Con esto también me congracié con él para que no me eligiera para hacer marometas ni acrobacias, sino como videoasta, una palabrita apantallante que escuché por ahí.

Por primera vez, esperé con ansia la llegada del miércoles para ir al departamento gris y entregarle a mi hermano su salvación. Esa tarde, papá llegó con Karla y propuso que fuéramos los cuatro al cine. Yo no quería ir, me urgía darle la sorpresa a Martín, pero papá no dejó que me quedara solo en casa. Así que tuve que ir a ver una película que resultó buenísima, a embutirme unas palomitas y un refresco gigantes y, aunque no quisiera, a ver a papá por el rabillo del ojo besarse con la que, oficialmente, era su novia. Después de la función, Karla nos hizo la plática y, asombrado, noté que Martín, que siempre era tan huraño, estaba muy platicador con ella. En algún momento, Karla hizo un chiste y todos se lo festejaron. Yo también me reí, pero me quedé con una sensación extraña, incómodo. Nunca me había sentido así.

Finalmente dejamos a Karla en su casa y, al verlos abrazados, comprendí que aquella incomodidad era porque me sentía como un traidor con mamá por haber disfrutado esa tarde y porque Karla me estaba cayendo bien. En cuanto llegamos al departamento gris, fui a buscar el dinero. Toqué eufórico el cuarto de Martín y él me abrió después de un rato.

—¿Qué quieres? Tengo mucha tarea —me recibió con su tono habitual, de pocos amigos.

—Te traigo una sorpresa —y sin más explicaciones le ofrecí mi cartera de las Chivas con el dinero.

—¿Y esto? —Martín, evidentemente, no entendía.

—Es para que te borres el tatuaje.

—¿Cómo lo conseguiste? —estaba muy muy sorprendido.

—Vendí mi cámara.

Se quedó desconcertado y con la mirada fija en los billetes. Después, como en cámara lenta, me miró a los ojos y, sorpresivamente, me dio un abrazo.

¡Guauuu! Era la primera vez que mi hermano me abrazaba.

Aunque me sentía feliz por haber ayudado a Martín en su problema, sabía que a mí se me avecinaba otro. Mamá estaba ampliando su negocio y cada tarde había más y más señoras reunidas para la aplicación de productos. Un funesto viernes por la noche, mientras todas sus clientas invadían la sala, con los rostros embadurnados de crema, me llamó.

—¿Qué pasa, mamá?

—Oye, hijo, ¿me prestas la cámara de video? Quiero registrar los avances de los tratamientos para promocionarlos en internet.

Sabía que ese día llegaría, pero aún no tenía lista mi coartada. Le respondí tartamudeando:

—La-la-la tie-ne I-ván. Se-se-se la pres-té.

Como era de esperarse, me miró contrariada:

—Lástima, me hubiera sido muy útil hoy. ¿Se la puedes pedir de regreso lo más pronto posible?

—Sí, mamá. No sabía que la necesitabas.

—No hay problema, cariño. Te la encargo mucho.

Me sentí peor porque ni siquiera se enojó.

Ahora sí tenía que idear un plan de acción. No podía pedírsela de regreso al profesor. Tampoco conocía a nadie que pudiera prestarme una igual. Pero tenía que investigar.

Comencé a llamar a mis compañeros para ver si alguno podía salvarme. Y, uno a uno, los fui descartando. Me acordé entonces de Patricia. Hubiera evitado llamarle pero era una emergencia, así que me tragué la pena y le marqué:

—Hola, Patricia, ¿cómo estás? —en ese momento entendí lo que era "hacer de tripas corazón".

—Bien —me contestó muy seria.

—¿Cómo va todo? —no podía entrar de lleno en el tema.

—Bien —volvió a pronunciar cortante.

—Oye, te llamo, además de saludarte, para preguntarte si tu mamá tiene todavía su cámara de video...

—¿Para qué? Ya vendiste la tuya, ¿no?

—Sí, pero tengo un problemita.

Le conté todo, intentando apelar a su compasión y también al afecto que, supuestamente, sentía por mi linda personita.

—¿Cómo ves? Me la prestas, ¿verdad? —rematé mi relato, seguro de que accedería.

—¡No! —respondió y me colgó.

¡Qué grosera! Nadie jamás me había colgado en mi vida. Me quedé muy sorprendido por su actitud. ¿Estaría enojada porque no le vendí la cámara a su mamá? ¿O quizá ya no estaba interesada en mí? La verdad es que muy en el fondo sí sabía el porqué de su actitud. Aunque yo había decidido alejarme de Patricia, para no ilusionarla, bien que me había acercado antes a ella por conveniencia.

Decidí llamar entonces a Iván para que me diera alguna idea, pero resultó que se estaba bañando. Mi última llamada fue para Joana, que siempre me apoyaba en todo.

—Hola, Joana. ¿Cómo estás?

—Muy bien, ¡qué bueno que me llamas! —ella, a diferencia de Patricia, estaba muy contenta y platicadora. Habló y habló de lo bien que se sentía sin Iván. Y remató su parloteo con la pregunta que más le interesaba:

—¿Y qué...? ¿Has visto a Iván?

—Sí, pero te llamo por otra cosa —la interrumpí para que la conversación no tomara ese camino—. Quería saber si tu mamá tiene todavía su cámara, con la que hicimos el video de la pierna de Iván, ¿recuerdas? Es que tengo un problema y la necesito, ¿tú crees que me la quiera prestar?

—La verdad, no. Además, te pasas: siempre quieres que alguien te resuelva tus problemas. Yo ya te ayudé con lo del examen y por poco me descubre mi mamá. Mejor que te ayude tu gran amigo Iván —se despidió y colgó.

En mis últimas conversaciones con Joana, ella siempre terminaba furiosa conmigo. Eso me dolía, pero en esos momentos tenía otras cosas en mente.

Me dieron ganas de ir al baño, de la pura ansiedad. Así me sucedía en los momentos más inoportunos: cuando hay prisa por llegar a un lugar, cuando el avión está a punto de despegar, cuando está por comenzar un examen, a las dos de la mañana...

Pero esta vez fue el más inoportuno de todos, porque mientras estaba en el baño resultó que ¡llamó Iván por teléfono! Y para cuando salí, mi progenitora me esperaba afuera y no se veía de buen humor.

—Hablé con Iván. Le pregunté por la cámara. Me dijo que él no la tiene. ¿Dónde está? ¿Acaso ya la perdiste?

—No, má... ¿cómo crees?

—¿Entonces?

Estaba, como dicen, entre la espada y la pared. No quería revelar la verdad porque estaba de por medio Martín y el regalo de su primer abrazo. Y tampoco quería mentirle a mamá. Además, sabía que no podía mentir eternamente, ¿o sí?

—No, te mentí. Realmente se descompuso y…

—¿Cómo que se descompuso?

—Se rompió un poco de…

—¿De dónde? —me interrumpió.

—Se rompió un poco del mango porque se me cayó. Pero ya la están reparando… en un taller que investigué… Traté de solucionarlo con mis propios medios —las mentiras salían de mi boca como balas de ametralladora.

—Entonces, ¿cuándo te la entregan?

—El próximo viernes —tragué saliva. ¿Por qué dije eso? ¿Para qué le puse fecha a mi fusilamiento?

—Bueno. Es tu responsabilidad. Tú sabes que una cámara no es un juguete.

—No, má, ya sé. Yo me encargo, tú no te preocupes.

"Tú no te preocupes —pensé—, quien va a ser decapitado soy yo." ¿Cómo salir de este embrollo?

Subí a mi cuarto. Como no quería pensar más, me puse a jugar Xbox. Elegí "Injustice". Fracasé, a propósito, en todas las pruebas. Acabé golpeado, raspado y, sobre todo, vencido.

No pude dormir bien esa noche ni el día siguiente. Bajaba como a las dos de la mañana a comer, no porque tuviera hambre, sino por ansiedad. La primera noche me preparé un sándwich, pero al cubrir de mayonesa el pan recordé los rostros de las clientas de mamá, todos embadurnados de crema. Entonces, además del sueño, se me quitó el antojo.

La segunda noche decidí probar algo diferente. Pero fue peor: no me decidí entre una salchicha frita, una concha o una quesadilla. Así se me pasó la noche y no comí nada.

La tercera noche me tocó ir al departamento gris. Como tenía varias horas de sueño pendientes, me dormí en seguida, pero me despertó una pesadilla: soñé que la cámara de video me grababa a mí y que el tatuaje de Martín me devoraba y me convertía en un dibujo más sobre la piel de mi hermano.

La cuarta noche, aunque me tocaba quedarme con papá, él tenía que salir de viaje y mamá prefirió que regresara antes. En la madrugada, bajó a la cocina y me sorprendió despierto y comiéndome unos pepinillos en vinagre.

—¿Por qué estás comiendo eso? —fue lo primero que me preguntó.

—No sé, se me ocurrió.

—Te va a dar gastritis. Te voy a preparar un vaso de leche caliente. Deja eso.

—Gracias, ma.

—¿Por qué estás despierto?

—Porque no puedo dormir —dije sin pensar, intentando esquivar la respuesta correcta.

—¿Y por qué no puedes dormir? —me siguió el juego, sin enojarse.

—Porque el sueño se escapó de mi cama —una respuesta poética esta vez.

Mi mamá me miró a los ojos y se percató de las ojeras que tenía.

—¿Algún examen? —preguntó mientras servía un vaso de leche para ella.

—No.

—¿Alguna chica? —volvió a arremeter mientras me acercaba mi vaso.

—No.

—¿Entonces?

Quizá era el momento de decirle la verdad sobre la cámara. Lo pensé un microsegundo. Estaba abierta la puerta de la tan temida conversación. Pero sabía que me preguntaría por el dinero y eso significaba delatar a Martín. No podía defraudar a mi hermano.

—No sé, ma. Quizá tengo que hacer más ejercicio.

¿Por qué se me ocurrían esas babosadas? En lugar de salir de los aprietos, siempre encontraba la manera de crear nuevos y meterme en ellos al instante.

—Bueno, luego te investigo unas clases de futbol. A ver si tu padre tiene la decencia de gastar más en ustedes que en su noviecita —la amargura de mamá me lastimó.

Los dos sorbimos nuestra leche en silencio.

—Y tú, mamá... ¿Por qué no puedes dormir? ¿Por papá? —me atreví a preguntar.

—Porque mañana es viernes y tengo un día muy complicado. Intentemos dormir, ¿sí? —propuso después de un corto bostezo.

Y, sí, llegó el viernes. Y no pude resolver lo de la cámara.

Llegué a las tres de la tarde, arrastrando los pies. Al meter la llave en la cerradura, alcancé a escuchar el bullicio de las clientas de mamá. Entré, saludé apresuradamente e intenté escaparme a mi cuarto.

Mamá me alcanzó en la escalera y me tomó del brazo. Antes de que ella dijera nada, me adelanté:

—No tengo la cámara. Perdóname.

—¿Qué hiciste con ella? —me preguntó con tranquilidad, casi susurrando.

—La vendí.

—¿Para qué?

—Para… —otra vez con la mente en blanco.

—Para darle el dinero a Martín, para quitarse un tatuaje —completó ella.

Me quedé frío.

—¡¿Cómo lo sabes?!

—Me lo dijo el propio Martín.

—¿Desde cuándo?

—Desde… el martes, creo.

Yo sacrificándome y sufriendo en vano, y el propio Martín confesando la verdad.

—Luego platicamos, tengo que bajar —concluyó mamá.

Ya no me dio tanto miedo la frase "luego platicamos". Lo que me urgía era ver a Martín y saber por qué había dicho la verdad. ¿Y por qué no me dijo nada?

Tuve que esperar hasta el miércoles para verlo. Nomás llegué al departamento gris, le pedí que fuera a MI cuarto. Esta vez quería que la discusión fuera en MI territorio. En cuanto entró, le reclamé enojado:

—¿Por qué le dijiste a mamá la verdad sobre la cámara?

—Mira, enano, te agradezco mucho lo que hiciste, pero sabes que tarde o temprano se iba a enterar.

—Pero estuve toda la semana sin poder dormir, mordiéndome la lengua para no confesar y...

—Por eso mismo le conté todo —me interrumpió—, porque vi que estabas en problemas por mi culpa. Y no era justo.

Vaya. Me quedé callado. Y él siguió:

—Mamá y papá se enojaron mucho, pero no contigo. Ahora estoy castigado —continuó explicándome—. La verdad, enano, nadie había hecho algo tan valiente por mí —su voz se volvió casi un susurro contenido—. Gracias... Y ya me voy porque tu cuarto me deprime.

Haciéndose el duro, se fue. Cuando papá nos llamó a cenar, descubrí que había preparado mi plato favorito: alcachofas con salsa de cebolla. Mientras iba quitando, una a una, las hojas duras y espinosas para llegar al delicioso centro, me di cuenta de que el corazón de mi hermano era así: siempre estaba resguardado por su mal genio y pocas veces, muy pocas, nos dejaba ver cómo era en realidad. Hoy me había permitido descubrirlo.

Capítulo Diez

Después de lograr sobrevivir a los cambios y aprietos de los últimos meses, había una luz en el camino: el concierto de música electrónica. Los boletos estaban a buen precio. El evento duraría dos largos días —aunque seguramente sólo podríamos ir a uno— y, además, tocaría Mil Rastas, el famosísimo DJ. No fue difícil conseguir el permiso de mis padres, quizá porque ambos se sentían culpables. Mi papá: por tener novia. Mi mamá: por no tener novio.

Lo mejor es que Joana y yo habíamos conseguido lo imposible: que nos dejaran ir los dos días. Como papá me pagó los boletos, mamá se ofreció a llevarnos y a recogernos al día siguiente. ¡Dormiríamos en una tienda de campaña! Era el evento del siglo. Ya sólo faltaba coordinar la salida, así que al día siguiente abordé a Joana en el recreo:

—Te espero el sábado temprano en mi casa, salimos a las ocho de la mañana.

—Sí. Yo llevo algo de comer. ¡Mira…! —me enseñó eufórica sus boletos, cuyas letras doradas brillaron al sol.

Todo estaba saliendo bien hasta que, en la clase de matemáticas, llegó el papelito de Iván: "¿A qué hora nos vemos para ir al concierto?"

Ya no me acordaba: también Iván había comprado boletos. Sin atreverme a mencionar que iba Joana, le respondí con letra insegura: "A las ocho de la mañana en mi casa". Apenas leyó mi mensaje, alzó el dedo pulgar en señal de aprobación.

Otra vez las preocupaciones me agobiaron por la noche: ¿cómo decirles que los dos estaban invitados? Yo ya no podía cargar sobre mis hombros tantos amores y desamores.

Cuando llegó el sábado, mi mamá ya tenía lista su camioneta cargada de víveres, cobijas y tiendas de campaña. Papá llegó y se saludaron; no fueron efusivos, pero era bueno ver que ya no se gritaban. Afortunadamente, Joana llegó muy puntual y el ambiente frío se disolvió. Mis papás se quedaron un rato platicando con la mamá de Joana mientras mi amiga y yo metíamos al coche sus cosas. Después de un rato, cuando ya todo estaba acomodado, me preguntó:

—Ya vámonos, ¿no?

Como si estuviera esperando una señal, en ese momento se detuvo un taxi y apareció Iván.

Joana se quedó pálida. Iván, también.

—¿Lo invitaste? ¡¿Cómo pudiste?! —se enfureció Joana.

—¿Ella también va? —me reclamó Iván.

—No podemos ir los dos —sentenció Joana, enojada.

—En eso estamos de acuerdo —la secundó mi amigo.

—Tienes que elegir —me exigió mi amiga.

—Decide —me presionó Iván.

"¡Tienes que elegir! ¡Tienes que elegir! ¡Tienes que elegir!", se repetía esa frase en mi cabeza.

¡Elegir! Observé a papá, con su playera amarilla con rayas negras. Disfrutaba mucho cuando se animaba a jugar conmigo y cuando veíamos juntos los partidos de fut y apostábamos. Si yo ganaba, me invitaba al cine. Me la pasaba bien con él.

Luego observé a mamá. Siempre tan guapa, aunque también un poco nerviosa. Aún me hacía trompetillas en la barriga antes de dormir y yo me moría de la risa. Quizá era algo infantil, pero ambos lo disfrutábamos. Adoraba a mamá.

Y Joana. Nadie trepaba los árboles como ella. Siempre buscaba el árbol más alto y era leal y solidaria. Iván, por su parte, era el tipo más chistoso y divertido. Podíamos competir para ver quién escupía más lejos. ¿Con qué amigo puede uno realizar tales hazañas?

¿Cómo elegir a uno de ellos? ¿Qué tipo de decisión debía tomar? ¿Había una correcta?

Entonces supe con claridad qué decisión tomar.

—¿Saben qué...? —los dos me miraron con intriga—. No voy a elegir a ninguno de ustedes. Ésa es mi decisión: no elegir. Y si eso les molesta, ni modo. Yo quiero ir al concierto y pasármela bien. Y quien quiera unirse, bienvenido —me subí al coche, decidido, y mantuve la vista al frente.

Primero entró mamá, que era, para ser francos, indispensable para la misión. Luego se abrió la puerta y entró Iván. Después de un largo minuto, cuando parecía que nadie más subiría al auto, apareció Joana.

Y como si nos hubiéramos puesto de acuerdo y no hubiera pasado nada, otra vez fuimos los tres amigos de siempre.

Elegir no siempre es fácil.

El festival estuvo sensacional y todos nos la pasamos realmente bien, cantando a todo pulmón, gritando y durmiendo en las tiendas de campaña. Llegamos a nuestras casas el día siguiente, súper cansados, así que, como era domingo, me quedé en casa jugando videojuegos. Los personajes de la pantalla habían dejado de parecerse a mamá y a papá. Ahora sólo era la víctima de Deathstroke y el Guasón. Esa tarde buscaría romper mi récord. Siempre y cuando tomara las mejores decisiones.

FIN